ORIGO

STEPPING STONES 2.0

EN ESPAÑOL · PROGRAMA INTEGRAL DE MATEMÁTICAS

AUTORES

James Burnett
Calvin Irons
Peter Stowasser
Allan Turton

TRADUCTOR

Delia Varela

CONSULTORES DEL PROGRAMA

Diana Lambdin
Frank Lester, Jr.
Kit Norris

ESCRITORES CONTRIBUYENTES

Debi DePaul
Beth Lewis

LIBRO DEL ESTUDIANTE A

ORIGO
EDUCATION

INTRODUCCIÓN

LIBRO DEL ESTUDIANTE DE ORIGO *STEPPING STONES 2.0*

ORIGO Stepping Stones 2.0 es un programa integral de matemáticas de nivel mundial, el cual ha sido desarrollado por un equipo de expertos con el fin de proveer un método equilibrado de enseñar y aprender matemáticas. El Libro del estudiante consiste de dos partes: Libro A y Libro B. El Libro A consta de los módulos 1 al 6, y el Libro B de los módulos 7 al 12. Cada libro contiene lecciones y páginas de práctica, una tabla de contenidos completa, un glosario para estudiante y un índice para el profesor.

PÁGINAS DE LECCIONES

Hay dos páginas por cada 12 lecciones en cada módulo. Esta muestra indica los componentes principales.

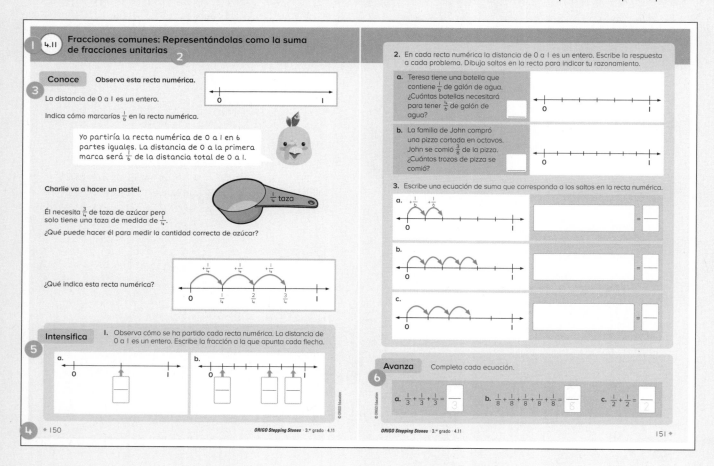

1 Número de módulo y lección.

2 El título de la lección indica el contenido de la lección. Éste tiene dos partes: el tallo (o gran idea) y la hoja (la cual da más detalles).

3 La sección Conoce está diseñada para generar diálogo en la clase. Las preguntas abiertas se plantean para hacer que los estudiantes razonen acerca de métodos y respuestas diferentes.

4 En 3.er grado, el Libro A indica un diamante azul junto a cada número de página y las referencias en el índice están en azul. El Libro B indica un diamante verde y las referencias en el índice están en verde.

5 La sección Intensifica provee trabajo escrito apropiado para el estudiante.

6 La sección Avanza da un giro a cada lección con el fin de desarrollar habilidades de pensamiento más avanzadas.

INTRODUCCIÓN

PÁGINAS DE PRÁCTICA

Cada una de las lecciones 2, 4, 6, 8, 10 y 12 proporciona dos páginas de refuerzo de conceptos y destrezas. Estas muestras indican los componentes principales.

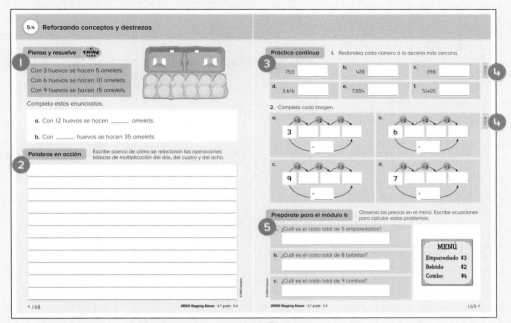

1. **ORIGO Think Tanks** es una manera muy popular entre los estudiantes de practicar la resolución de problemas. Hay tres problemas *Think Tanks* en cada módulo.

2. El desarrollo del lenguaje escrito es esencial. Estas actividades intentan ayudar a los estudiantes a desarrollar su vocabulario académico y proveen oportunidades para que los estudiantes escriban su razonamiento.

3. La sección Práctica continua repasa contenidos aprendidos previamente. La pregunta 1 siempre repasa el contenido aprendido en el módulo previo y la pregunta 2 repasa el contenido del mismo módulo.

4. Esta pestaña indica la lección de origen.

5. Cada página del lado derecho proporciona contenido que prepara a los estudiantes para el módulo siguiente.

6. La práctica escrita constante de las estrategias mentales es esencial. En cada módulo hay tres páginas con prácticas de cálculo matemático que se enfocan en estrategias específicas.

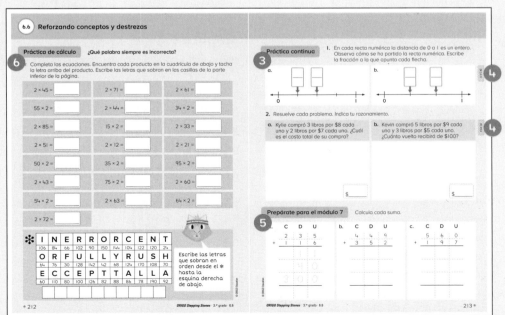

CONTENIDOS

ORIGO Stepping Stones • 3.er grado

CONTENIDOS

© ORIGO Education

Conoce Observa estas tarjetas para mezclar y asociar.

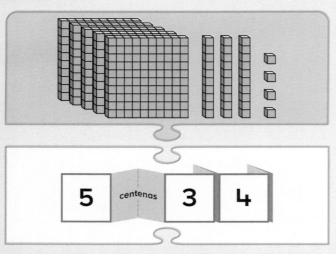

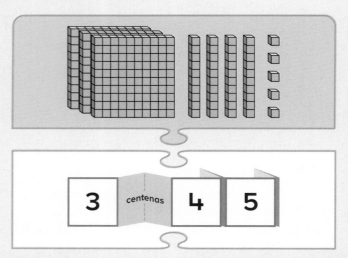

¿Cuál es el valor del 5 en cada imagen de bloques? ¿Cuál es el valor del 3 en cada una?
¿Cómo podrías calcular cuáles tarjetas corresponden entre sí?

Completa la tercera tarjeta de cada set escribiendo cada número con palabras.

Intensifica I. Observa los bloques. Escribe el número correspondiente en el expansor. Luego escribe el nombre del número.

a.

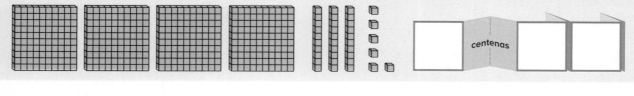

b.

2. Escribe el numeral correspondiente. Luego escribe el nombre del número.

a.

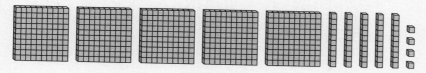

_____

b.

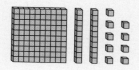

_____

c.

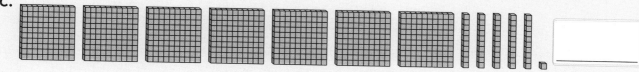

_____

d.

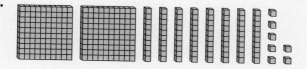

_____

Avanza

a. Observa estos boques. Escribe el nombre que corresponda a cada número.

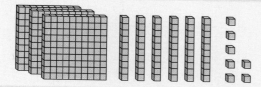

b. Agrega un bloque más a cada posición y escribe el nombre del nuevo número.

Conoce   Observa esta recta numérica.

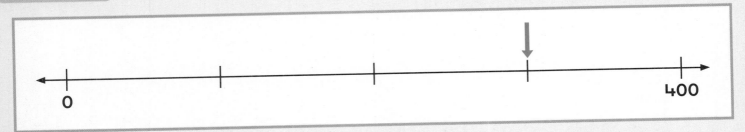

¿Qué número escribirías en la posición que indica la flecha? ¿Cómo lo sabes?

¿Cómo indicarías la posición del 150 en la recta numérica?

¿Qué otros números podrías rotular en la recta numérica?

> Podrías partir la distancia entre 0 y 100 en 10 partes más pequeñas de la misma longitud. La primera parte sería 10.

Estima la posición del 230 en la recta numérica.

Intensifica   1. Escribe el número que debería estar en la posición que indica cada flecha.

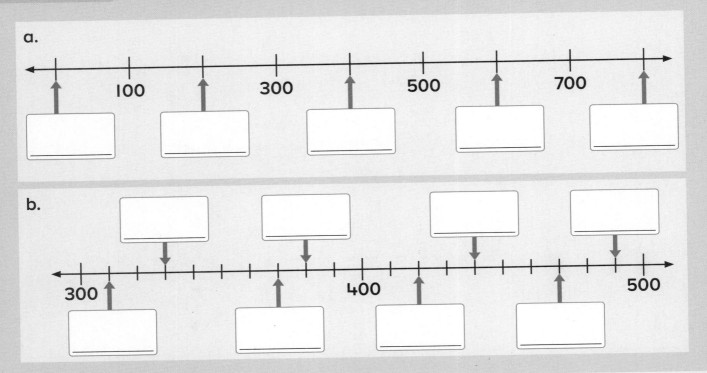

a.

b.

2. Escribe el número para cada flecha. Piensa cuidadosamente antes de escribir.

a.

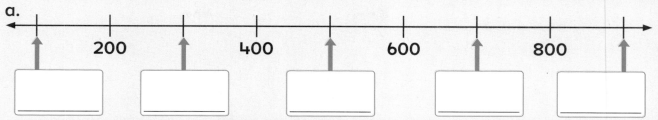

b.

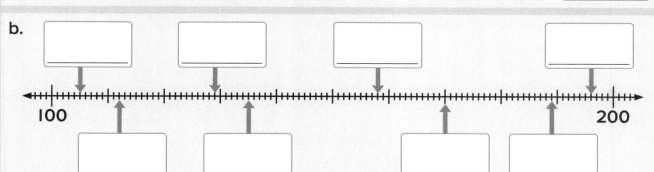

3. Traza una línea para indicar la posición de cada número.

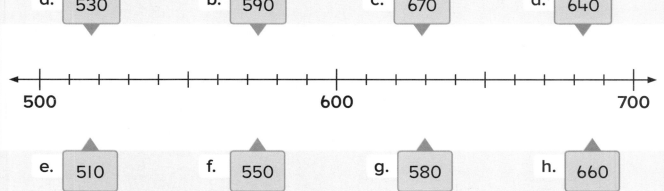

Avanza

Callum ha cometido algunos errores en esta recta numérica.
Encuentra cada error y escribe el número correcto.

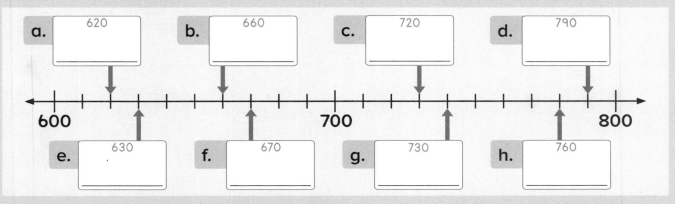

Práctica de cálculo

★ Para cada una de estas ecuaciones, utiliza una regla para trazar líneas hasta la respuesta correcta. La línea pasará por un número y una letra. Escribe cada letra arriba del número correspondiente en la parte inferior de la página. La primera se hizo como ejemplo.

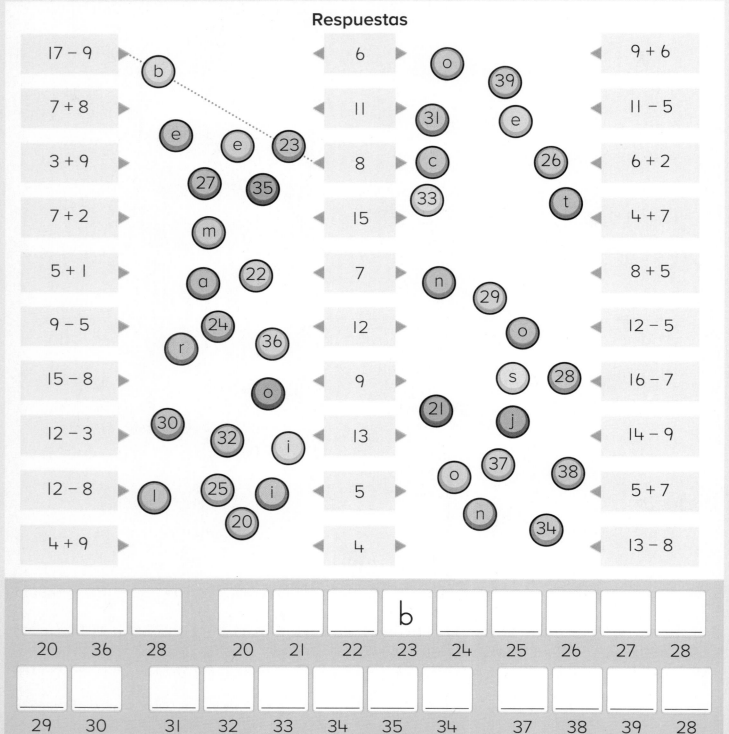

I. Escribe **menos de**, **igual a**, o **más de** para describir la masa de cada fruta al compararla con una libra.

a.

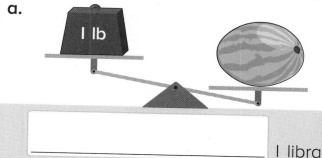

_____ I libra

b.

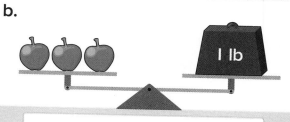

_____ I libra

2. Observa los bloques. Escribe el número correspondiente en el expansor. Luego escribe el nombre del número.

a.

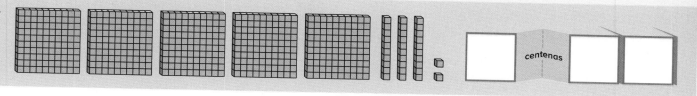

centenas

_____

b.

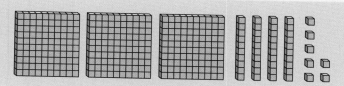

centenas

_____

Prepárate para el módulo 2   Escribe los totales. Utiliza patrones como ayuda.

a.
13 + 2 = _____

23 + 2 = _____

33 + 2 = _____

53 + 2 = _____

b.
26 + 3 = _____

36 + 3 = _____

46 + 3 = _____

66 + 3 = _____

c.
31 + 1 = _____

41 + 1 = _____

51 + 1 = _____

81 + 1 = _____

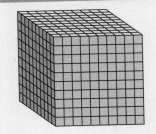

Conoce   ¿Qué sabes acerca de este bloque?

Si descompusieras este bloque en bloques
de centenas, ¿cuántos bloques obtendrías?

¿Cuántos bloques de decenas obtendrías? ¿Cuántos bloques de unidades obtendrías?

¿Hay más de o menos
de 1,000 libros en tu
biblioteca?

¿Hay más de o menos
de 1,000 páginas en un
diccionario grande?

Observa esta imagen de bloques.

¿Cómo describirías el número
en cada posición?

Escribe los números que
correspondan a los bloques en la
tabla de valor posicional.

Indica cómo anotarías el mismo
número en el expansor.

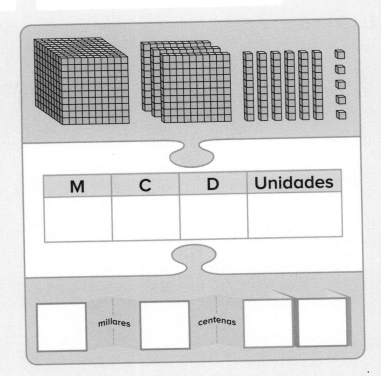

M	C	D	Unidades

millares   centenas

Intensifica   1. Escribe en la tabla de valor posicional los números que
correspondan a los bloques.

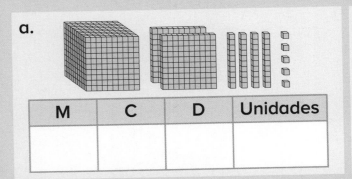

a.

M	C	D	Unidades

b.

M	C	D	Unidades

2. Observa los bloques. Escribe el número correspondiente en el expansor.

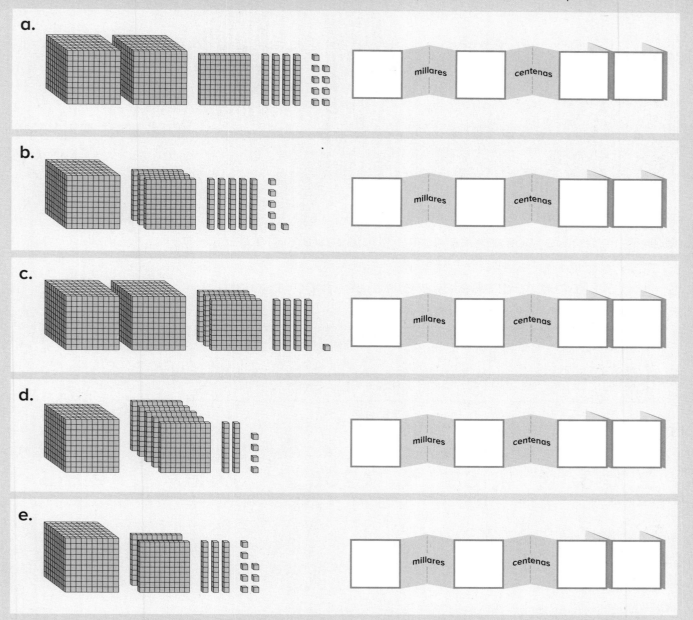

a.

| | millares | | centenas | | |

b.

| | millares | | centenas | | |

c.

| | millares | | centenas | | |

d.

| | millares | | centenas | | |

e.

| | millares | | centenas | | |

Avanza

Estos bloques se han desordenado. Escribe el número correspondiente en el expansor.

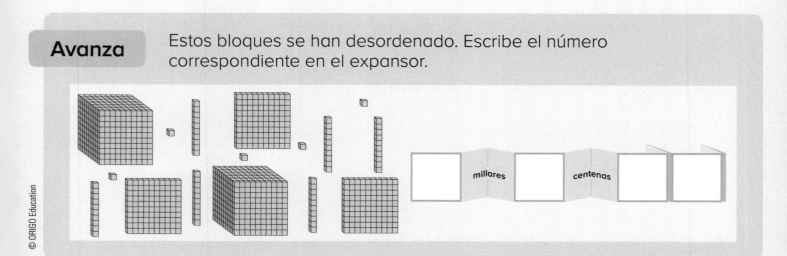

| | millares | | centenas | | |

Conoce

Dos estudiantes escribieron un numeral que correspondiera esta imagen de bloques.

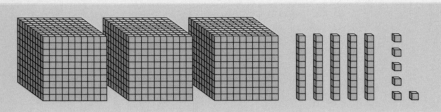

Bianca escribió **356**.

Evan escribió **3,056**.

¿Cuál numeral es el correcto? ¿Cómo lo sabes?

¿Qué se utiliza para indicar que no hay bloques en una posición?

¿Por qué crees que esto es importante?

Cuando un numeral se escribe sin utilizar un expansor, se puede utilizar una coma para separar los millares de las centenas, decenas y unidades. Esto hace más fácil leer y decir el nombre del número.

¿Cómo dices estos números?

| 2,346 | 4,185 | 3,206 | 7,420 | 2,815 |

Intensifica

1. Escribe el número correspondiente en el expansor. Luego escribe el número con palabras.

a.

b.

2. Escribe el número en el expansor. Luego escribe el nombre del número.

a.

| 4,819 | | millares | | | |

_____

b.

| 3,080 | | millares | | | |

_____

3. Escribe el numeral correspondiente o el nombre del número.

a.

| 4,018 | _____ |

b.

| _____ | mil seiscientos veinte |

c.

| 3,006 | _____ |

d.

| _____ | dos mil novecientos quince |

Avanza

Los antiguos griegos colocaban piedritas en ranuras para indicar números. Esta tabla indica el número 3,109.

a. ¿Qué indican las ranuras de la tabla?

_____

b. ¿Qué indican las piedritas?

_____

c. ¿Qué significa cuando no hay piedritas en una ranura?

_____

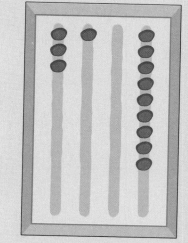

Piensa y resuelve

Los números en la líneas son los totales de los números en los círculos.

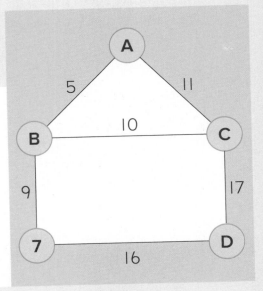

Por ejemplo, $A + C = 11$.

A = _____

B = _____

C = _____

D = _____

Palabras en acción

Escribe un numeral que tenga cuatro dígitos. _____

Escribe cómo podrías indicar tu número.
Puedes utilizar palabras de la lista como ayuda.

millares
centenas
decenas
unidades
nombre del número
valor posicional
coma

_____
_____
_____
_____
_____
_____
_____
_____
_____
_____
_____
_____

© ORIGO Education

1. Escribe **menos de**, **igual a**, o **más de** para describir la masa de cada fruta al compararla con un kilogramo.

a.
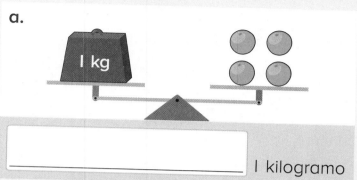

_____ l kilogramo

b.

_____ l kilogramo

2. Escribe el número para cada flecha. Piensa cuidadosamente antes de escribir.

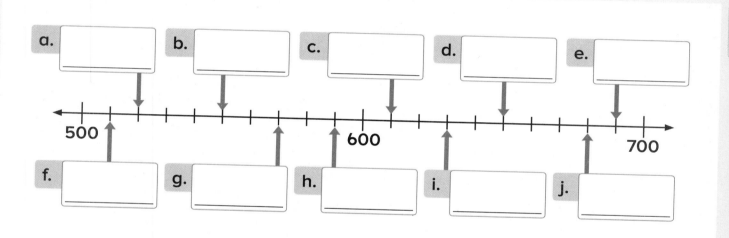

Prepárate para el módulo 2

Escribe el número de decenas, centenas y unidades. Luego escribe una ecuación para indicar el total.

a.
352 + 126

Hay _____ centenas.

Hay _____ decenas.

Hay _____ unidades.

_____ + _____ + _____ = _____

b.
243 + 225

Hay _____ centenas.

Hay _____ decenas.

Hay _____ unidades.

_____ + _____ + _____ = _____

Número: Escribiendo números de cuatro dígitos de forma expandida

Conoce

¿Qué número se indica en cada parte de esta tarjeta para mezclar y asociar?

¿Por qué corresponden las partes?

La parte de abajo dice el valor de cada dígito en la tabla de arriba.

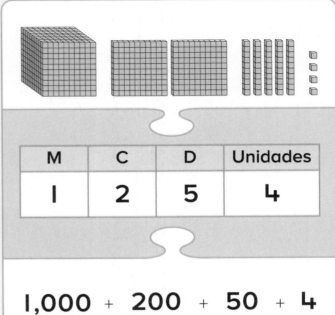

M	C	D	Unidades
1	2	5	4

$$1,000 + 200 + 50 + 4$$

¿Qué pasa si sumas los números de la parte de abajo?

¿Qué notas en el total?

¿Cómo escribirías este número de forma expandida?

5,209

La **forma expandida** es una manera de indicar cuánto representa cada dígito de un número.

Intensifica

1. Observa los bloques. Escribe el número correspondiente en la tabla de valor posicional. Luego escribe el mismo número de forma expandida.

a.

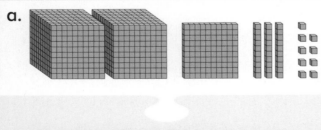

M	C	D	Unidades

_____ + _____ + _____ + _____

b.

M	C	D	Unidades

_____ + _____ + _____ + _____

2. Escribe cada número de forma expandida.

a.

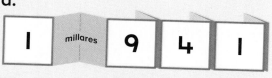

_____ + _____ + _____ + _____

b.

_____ + _____ + _____ + _____

c.

_____ + _____ + _____ + _____

d.

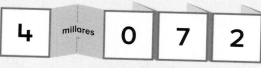

_____ + _____ + _____ + _____

3. Escribe cada número de forma expandida.

a. 5,385 _____

b. 2,730 _____

c. 8,412 _____

| Avanza | Dibuja bloques que correspondan al número que ha sido expandido. Luego escribe el numeral correspondiente. | 3,000 + 400 + 7 |

_____

Conoce ¿Qué indican las marcas en esta recta numérica?

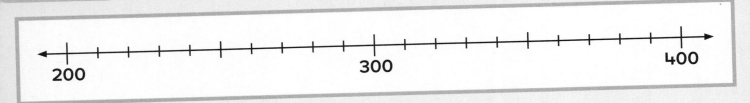

¿Dónde está el 340 en la recta numérica? ¿Dónde está el 295? ¿Cómo lo sabes?

¿Qué indican las marcas en esta recta numérica?

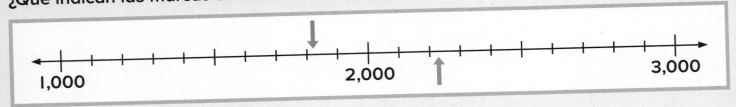

¿Qué número piensas que indica la flecha de arriba? ¿Qué número piensas que indica la flecha de abajo? ¿Cómo lo calculaste?

Observa la recta numérica de abajo.
¿Qué números dirías en cada marca?

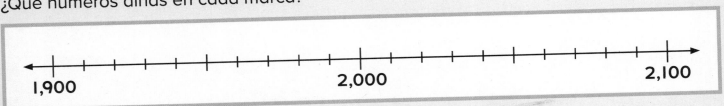

Intensifica

1. Traza líneas para indicar dónde pertenecen estos números en la recta numérica.

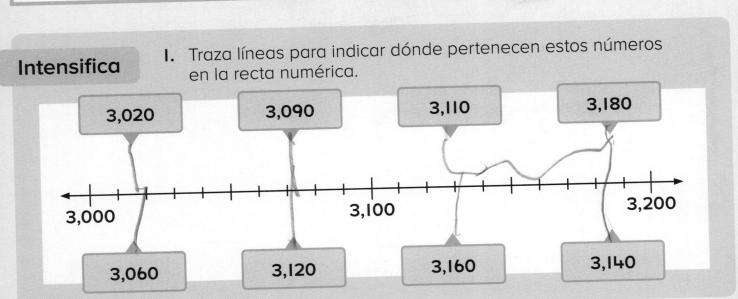

Observa cuidadosamente cada una de estas rectas numéricas.
Luego escribe el número que indica cada flecha.

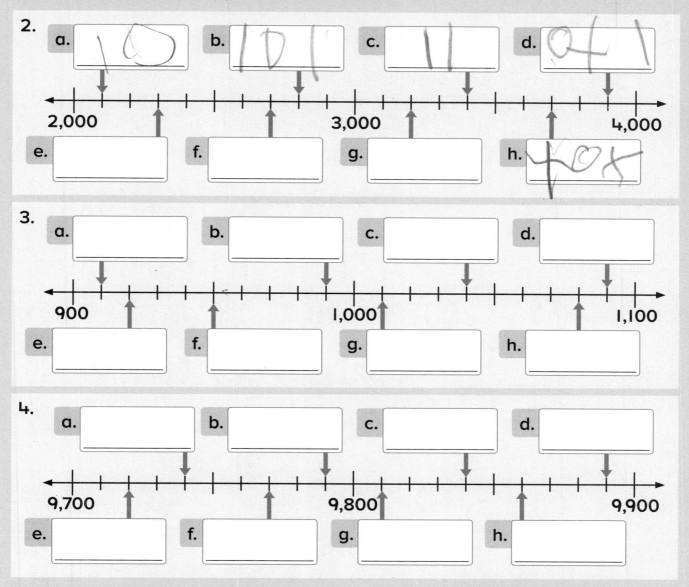

2.

a. b. c. d.

2,000   3,000   4,000

e. f. g. h.

3.

a. b. c. d.

900   1,000   1,100

e. f. g. h.

4.

a. b. c. d.

9,700   9,800   9,900

e. f. g. h.

Avanza

Indica la posición de cada número en la recta numérica. Puedes rotular la recta numérica como ayuda en tu razonamiento.

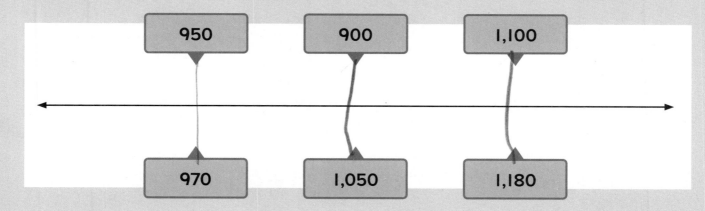

950   900   1,100

970   1,050   1,180

Práctica de cálculo   ¿Cómo haces para no mojarte en la ducha?

★ Utiliza una regla para trazar una línea recta hasta cada respuesta correcta. Cada línea pasa por un número y una letra. Escribe cada letra arriba del número correspondiente en la parte inferior de la página. Algunas letras se repiten.

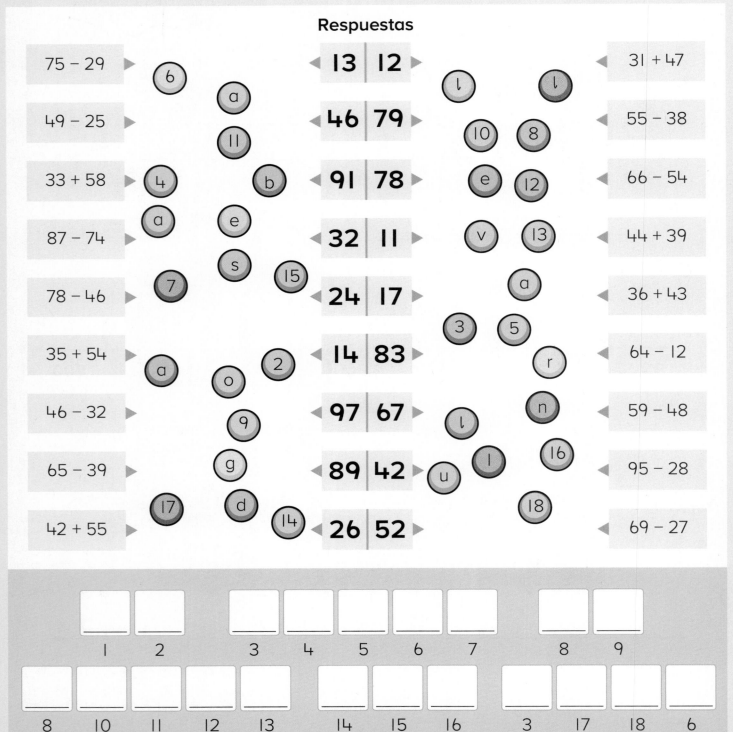

© ORIGO Education

I. Escribe **menos de**, **igual a**, o **más de** para describir cuánto puede contener cada recipiente al compararlo con un litro.

Contiene **exactamente**
I litro

a.

Contiene _____
I litro

b.

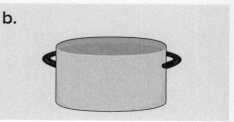

Contiene _____
I litro

2. Observa los bloques. Escribe el número correspondiente en la tabla de valor posicional y en el expansor.

a.

M	C	D	Unidades

	millares		centenas		

b.

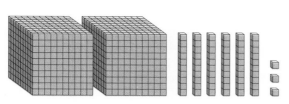

M	C	D	Unidades

	millares		centenas		

Dibuja saltos para indicar cómo podrías calcular el total. Luego escribe el total.

276 + II9 = [____]

Conoce

Empaqué 3 pilas de cajas.
Había 8 cajas en cada pila.
¿Cuántas cajas empaqué?

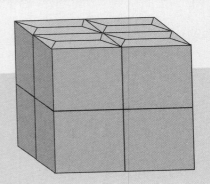

Utiliza cubos como ayuda para calcular la respuesta.

Escribe una ecuación de suma que corresponda a tus cubos.

¿Cómo se relaciona tu ecuación con la historia del problema?

El símbolo de multiplicación puede ser utilizado cuando estás sumando grupos iguales.

Escribe una ecuación de multiplicación que corresponda a tus cubos.

> El símbolo para la multiplicación es ×.
>
> El resultado de la multiplicación se llama **producto**.

¿Cómo se relaciona tu ecuación de multiplicación con el problema?

Intensifica

1. Dibuja una imagen como ayuda para resolver cada problema. Luego completa el enunciado de multiplicación correspondiente.

a. Cada recipiente puede contener 3 pelotas de tenis. ¿Cuántas pelotas de tenis llenarán 4 recipientes?

4 recipientes de 3 son [ ] pelotas

b. Kuma tenía 4 bolsas. Ella puso 8 naranjas en cada una. ¿Cuántas naranjas tenía en total?

4 bolsas de 8 son [ ] naranjas

2. Resuelve cada problema. Indica tu razonamiento.

a. Los globos cuestan 5 centavos cada uno. ¿Cuánto pagarías por 9 globos?

$$\boxed{} \times \boxed{} = \boxed{} \text{ centavos}$$

b. ¿Cuántas estampillas hay en una hoja que tiene 5 filas de 6 estampillas?

$$\boxed{} \times \boxed{} = \boxed{} \text{ estampillas}$$

c. Cada auto necesita 5 llantas. ¿Cuántas llantas se necesitan para 4 autos?

$$\boxed{} \times \boxed{} = \boxed{} \text{ llantas}$$

d. Henry cortó 5 trozos de cuerda. Cada trozo medía 4 metros de largo. ¿Cuál era la longitud total de la cuerda?

$$\boxed{} \times \boxed{} = \boxed{} \text{ metros}$$

Avanza   **a.** Completa esta tabla.

Número de pies	2	3	4	5	8	9	10
Número de dedos							

b. ¿Cómo calculaste el número de dedos en 8 pies?

Conoce

Observa esta hoja de estampillas.

¿Cómo describirías lo que ocurrió a la primera matriz para hacer la segunda matriz?

¿Qué es igual en las matrices? ¿Qué es diferente?

Escribe una ecuación que corresponda a la primera matriz.

$$\underline{} \times \underline{} = \underline{}$$

Escribe una ecuación que corresponda a la segunda matriz.

$$\underline{} \times \underline{} = \underline{}$$

¿Qué es igual en las dos ecuaciones? ¿Qué es diferente?

Intensifica

1. Escribe los números que faltan de manera que correspondan a las imágenes.

a.

2 filas de 3 bananas son $\underline{}$

$$2 \times 3 = \underline{}$$

b.

3 filas de 4 castañas son $\underline{}$

$$3 \times 4 = \underline{}$$

2. Colorea la imagen de manera que corresponda a la historia. Luego completa la ecuación.

3 filas de 6 manzanas

$$\underline{} \times \underline{} = \underline{}$$

3. Colorea la imagen de manera que corresponda a la historia. Luego escribe la operación básica de multiplicación y su operación básica conmutativa.

a. 5 fresas en cada fila
4 filas de fresas

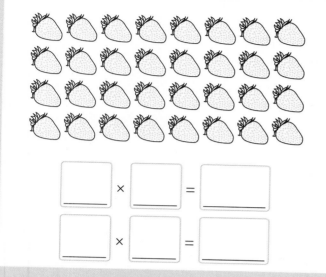

☐ × ☐ = ☐

☐ × ☐ = ☐

b. 4 cerezas en cada fila
2 filas de cerezas

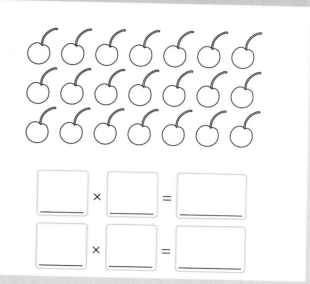

☐ × ☐ = ☐

☐ × ☐ = ☐

4. Escribe la operación básica conmutativa para cada ecuación.

a. 2 × 8 = 16

☐ × ☐ = ☐

b. 3 × 4 = 12

☐ × ☐ = ☐

c. 5 × 2 = 10

☐ × ☐ = ☐

d. 2 × 10 = 20

☐ × ☐ = ☐

e. 9 × 2 = 18

☐ × ☐ = ☐

f. 6 × 1 = 6

☐ × ☐ = ☐

Avanza

Escribe una historia que corresponda a esta ecuación.

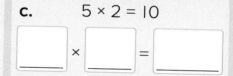

6 × 3 = 18

Piensa y resuelve Las frutas iguales tienen el mismo precio.

 90¢

 50¢

 60¢

a. = _____ ¢

b. 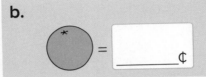 = _____ ¢

c. 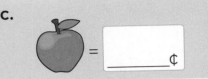 = _____ ¢

Palabras en acción

Escribe un problema verbal de multiplicación. Luego escribe una ecuación para indicar el producto. Puedes utilizar palabras de la lista como ayuda.

| multiplica |
| número |
| cuántas |
| total |
| filas de |
| bolsas de |

Práctica continua

1. Traza una línea desde cada recipiente hasta la cantidad que puede contener.

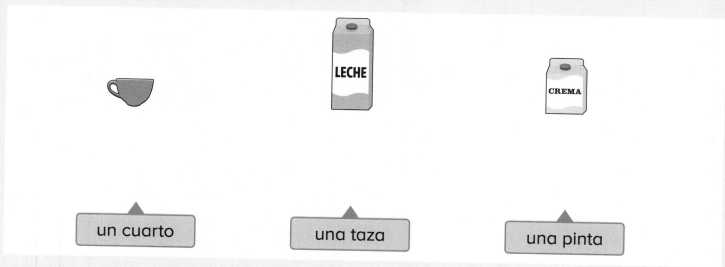

un cuarto   una taza   una pinta

2. Escribe cada numeral de forma expandida.

a.
1,874

b.
6,310

c.
3,106

d.
4,655

Prepárate para el módulo 2

Escribe cada hora de dos maneras diferentes.

a.
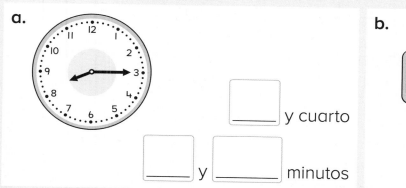

_____ y cuarto

_____ y _____ minutos

b.
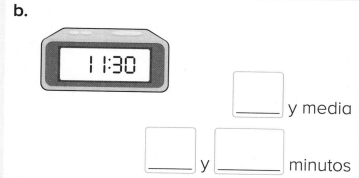

11:30

_____ y media

_____ y _____ minutos

Multiplicación: Duplicando y dividiendo a la mitad múltiplos de diez y cinco

Conoce   ¿Qué duplicación y división a la mitad se puede ver en esta imagen?

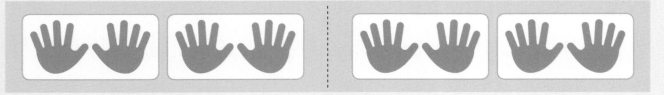

¿Cómo podrías calcular el doble de 40?

¿Cómo podrías calcular la mitad de 60?

¿Cómo podrías calcular el doble de 15?

> 15 es el mismo valor que 1 decena y 5 unidades. El doble de 10 es 20, el doble de 5 es 10.

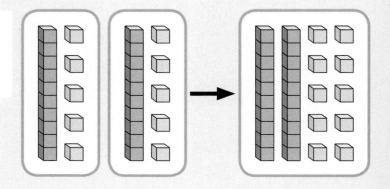

¿Cómo podrías calcular la mitad de 50?

> Pienso repartir 5 bloques de decenas. Puedo poner 2 decenas en cada grupo pero tendría que separar el último bloque para repartirlo en partes iguales.

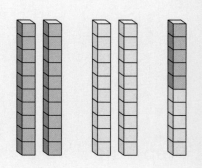

Hernando dibujó esta imagen para indicar lo que sabía acerca de duplicar y dividir a la mitad.

¿Qué te dice la imagen?

¿Qué otros números podrías utilizar en la imagen? ¿Cómo lo sabes?

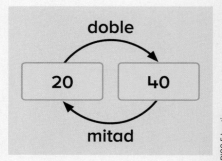

I. Completa estas declaraciones.

a.
doble ☐ son 4

entonces

doble ☐ son 40

b.
mitad de 6 son ☐

entonces

mitad de 60 son ☐

c.
mitad de 8 son ☐

entonces

mitad de 80 son ☐

d.
doble ☐ son 10

entonces

doble ☐ son 100

2. Completa la declaración y escribe la respuesta.

a.   doble 15

es igual a

doble ___10___ más doble ___5___

doble 15 son _____

b.   doble 45

es igual a

doble _____ más doble _____

doble 45 son _____

c.   doble 35

es igual a

doble _____ más doble _____

doble 35 son _____

d.   doble 25

es igual a

doble _____ más doble _____

doble 25 son _____

Avanza   Traza líneas para conectar las tarjetas que tienen el mismo valor. Una tarjeta se repite. Sobra una tarjeta.

Doble de 25	20	Mitad de 100
Doble de 40	35	Mitad de 40
Mitad de 70	50	Doble de 10

Conoce   Seis estudiantes levantaron sus manos al frente de la clase.

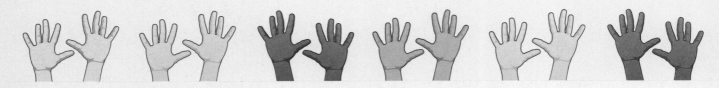

¿Cuántos dedos hay en total? ¿Cómo puedes calcularlo rápidamente?

¿Qué ecuación de multiplicación podrías escribir para describir el número de dedos?

☐ × ☐ = ☐

Intensifica   I.   Calcula el total. Escribe la ecuación correspondiente.

a.

☐ × ☐ = ☐ dedos

b.

☐ × ☐ = ☐ zapatos

c.

☐ × ☐ = ☐ bananas

d.

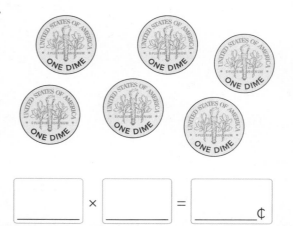

☐ × ☐ = ☐ ¢

2. Escribe las dos operaciones básicas que correspondan a cada matriz.

a.

$\boxed{} \times \boxed{} = \boxed{}$

$\boxed{} \times \boxed{} = \boxed{}$

b.

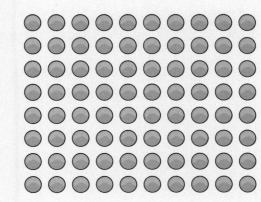

$\boxed{} \times \boxed{} = \boxed{}$

$\boxed{} \times \boxed{} = \boxed{}$

c.

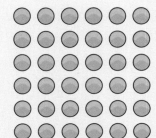

$\boxed{} \times \boxed{} = \boxed{}$

$\boxed{} \times \boxed{} = \boxed{}$

d.

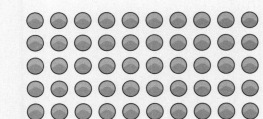

$\boxed{} \times \boxed{} = \boxed{}$

$\boxed{} \times \boxed{} = \boxed{}$

Avanza

Anna tiene 5 *dimes*. Marvin tiene 10 *nickels*. ¿Tiene Marvin más dinero que Anna? Explica tu respuesta.

Práctica de cálculo

¿Cuánto tiempo tarda la luz solar en llegar a la Tierra?

★ Utiliza una regla para trazar una línea recta hasta la respuesta correcta. La línea pasará por una letra. Escribe cada letra en el espacio debajo de la respuesta correspondiente.

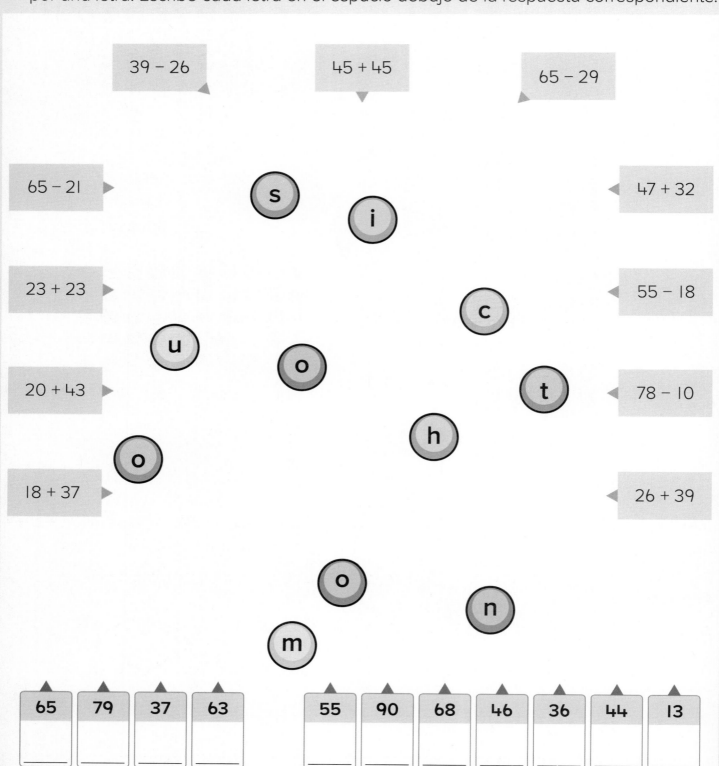

39 − 26	45 + 45	65 − 29

65 − 21		47 + 32
23 + 23		55 − 18
20 + 43		78 − 10
18 + 37		26 + 39

s   i   c   u   o   t   h   o   n   m

65	79	37	63	55	90	68	46	36	44	13
___	___	___	___	___	___	___	___	___	___	___

Práctica continua

I. Tacha bloques como ayuda para escribir el número de centenas, decenas y unidades que sobra. Luego escribe la diferencia.

a.

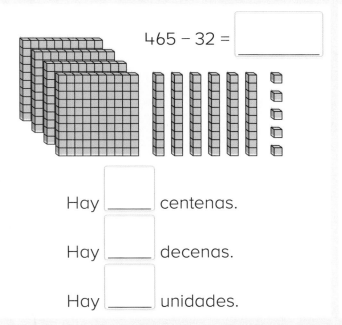

$465 - 32 =$ ☐

Hay ☐ _____ centenas.

Hay ☐ _____ decenas.

Hay ☐ _____ unidades.

b.

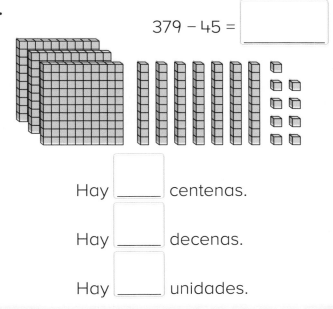

$379 - 45 =$ ☐

Hay ☐ _____ centenas.

Hay ☐ _____ decenas.

Hay ☐ _____ unidades.

2. Dibuja una imagen como ayuda para resolver cada problema. Luego escribe la ecuación correspondiente.

a. Cada caja contiene 3 pelotas de golf. ¿Cuántas pelotas de golf hay en 5 cajas?

b. Cada vaso contiene 2 pajitas. ¿Cuántas pajitas hay en 4 vasos?

☐ × ☐ = ☐ pelotas de golf

☐ × ☐ = ☐ pajitas

Prepárate para el módulo 2

Escribe números para indicar cada hora.

a.

☐ y ☐ minutos

b.

☐ y ☐ minutos

Multiplicación: Introduciendo las operaciones básicas del cinco

Conoce   Observa esta matriz y las ecuaciones.

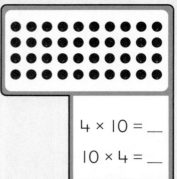

¿Cómo podrías calcular los productos?

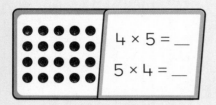

$4 × 5 = $ ___

$5 × 4 = $ ___

$4 × 10 = $ ___

$10 × 4 = $ ___

¿En qué se diferencia esta matriz de la de arriba?

¿Cómo podrías calcular los productos en estas ecuaciones?

Yo dividí a la mitad el producto de la operación básica del diez. 10 cuatros son 40, entonces 5 cuatros es la mitad de eso.

Yo conté en pasos de 5.

Esta matriz indica 6 × 10. Encierra la mitad de la matriz para calcular 6 × 5. Luego completa las operaciones básicas.

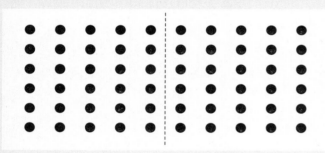

6 filas de 10 son [ ]

entonces

6 filas de 5 son [ ]

Intensifica   I. Completa las operaciones básicas del diez. Encierra la mitad de la matriz y luego las dos operaciones básicas del cinco correspondientes.

a.

$3 × 10 = $ [ ]

$3 × 5 = $ [ ] $5 × 3 = $ [ ]

b.

$2 × 10 = $ [ ]

$2 × 5 = $ [ ] $5 × 2 = $ [ ]

2. Escribe el producto de la operación básica del diez. Encierra la mitad de la matriz y luego escribe las dos operaciones básicas del cinco correspondientes.

a.

$7 \times 10 = \boxed{}$

$\boxed{} \times \boxed{} = \boxed{}$

$\boxed{} \times \boxed{} = \boxed{}$

b.

$6 \times 10 = \boxed{}$

$\boxed{} \times \boxed{} = \boxed{}$

$\boxed{} \times \boxed{} = \boxed{}$

c.

$9 \times 10 = \boxed{}$

$\boxed{} \times \boxed{} = \boxed{}$

$\boxed{} \times \boxed{} = \boxed{}$

d.

$8 \times 10 = \boxed{}$

$\boxed{} \times \boxed{} = \boxed{}$

$\boxed{} \times \boxed{} = \boxed{}$

Avanza

a. Escribe dos operaciones básicas del diez que correspondan a esta imagen.

$\boxed{} \times \boxed{} = \boxed{}$ $\boxed{} \times \boxed{} = \boxed{}$

b. Tacha una mano en cada tarjeta. Escribe dos operaciones básicas del cinco que correspondan a la imagen nueva.

$\boxed{} \times \boxed{} = \boxed{}$ $\boxed{} \times \boxed{} = \boxed{}$

Conoce

CERRADA

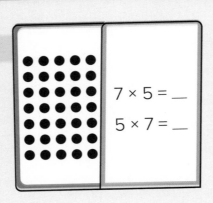

$7 \times 5 =$ __

$5 \times 7 =$ __

ABIERTA

$7 \times 10 =$ __

$10 \times 7 =$ __

¿Cómo podrías utilizar la operación básica del diez en la tarjeta abierta para calcular el número de puntos en la tarjeta cerrada?

¿Qué otros métodos podrías utilizar para calcular el producto de 7×5?

yo contaría de cinco en cinco:
5, 10, 15, 20, 25, 30, 35.

Intensifica

I. Calcula el total y escribe la ecuación correspondiente.

a.

5¢ 5¢ 5¢
5¢
5¢ 5¢

☐ × ☐ = ☐ ¢

b.

5¢ 5¢ 5¢
5¢ 5¢ 5¢
5¢ 5¢ 5¢

☐ × ☐ = ☐ ¢

2. Dibuja los *nickels* que correspondan al precio en la etiqueta. Luego escribe la ecuación correspondiente.

a.

○ 25¢

☐ × ☐ = ☐ ¢

b.

○ 40¢

☐ × ☐ = ☐ ¢

3. Escribe el número que falta en cada ecuación.

a.
$6 \times 10 = \boxed{}$

b.
$4 \times \boxed{} = 20$

c.
$\boxed{} \times 5 = 35$

d.
$10 \times \boxed{} = 40$

4. Escribe una ecuación que corresponda a cada historia.

a. Chloe tiene un set de 10 autos de juguete. La longitud total de todos los autos en fila, uno detrás del otro, es 70 cm. Cada auto mide 7 cm de largo.

☐ × ☐ = ☐

b. Peter tenía 30 adhesivos para empacar en bolsas. Él puso 5 adhesivos en cada bolsa. Cuando terminó tenía 6 bolsas de adhesivos.

☐ × ☐ = ☐

Avanza

Los números que **ENTRAN** son multiplicados por 10 y luego divididos a la mitad cuando **SALEN**. Escribe los números que faltan.

ENTRAN

5

8

10

9

×10

50

mitad

SALEN

25

Piensa y resuelve Imagina que lanzas tres saquitos con frijoles y todos caen en este blanco.

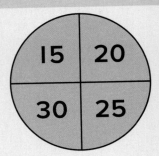

Suma los números mentalmente.

a. ¿Cuál es el total **mayor** que puedes obtener? _____

b. ¿Cuál es el total **menor** que puedes obtener? _____

c. Escribe una ecuación para indicar una manera en que puedas obtener un **total de 65**.

_____ + _____ + _____ = **65**

d. Escribe ecuaciones para indicar **otras dos maneras** en que puedas obtener un total de 65.

_____ + _____ + _____ = **65**   _____ + _____ + _____ = **65**

Palabras en acción   Elige y escribe palabras de la lista para completar estos enunciados. Algunas palabras se repiten.

a. Nueve _____ diez son noventa.

| igual a |
| mitad |
| cuarenta |
| filas de |
| doble |
| operación básica |

b. Una _____ de multiplicación tiene una _____ conmutativa.

c. _____ veinte son _____ .

d. _____ de ochenta son _____ .

e. Doble treinta más doble cinco es _____ doble treinta y cinco.

Práctica continua

1. Tacha bloques como ayuda para escribir el número de centenas, decenas y unidades que sobra. Luego escribe la diferencia.

DE 2.10.3

a.

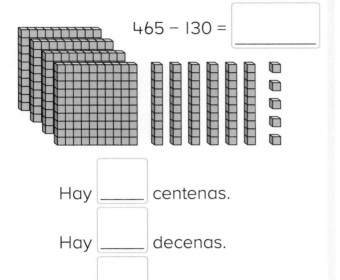

$465 - 130 = $ ⬚

Hay ⬚ _____ centenas.

Hay ⬚ _____ decenas.

Hay ⬚ _____ unidades.

b.

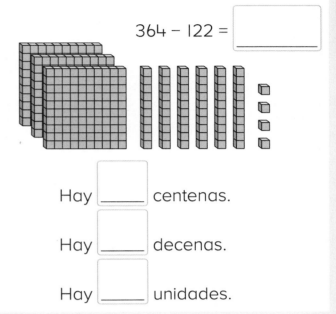

$364 - 122 = $ ⬚

Hay ⬚ _____ centenas.

Hay ⬚ _____ decenas.

Hay ⬚ _____ unidades.

2. Completa la declaración y escribe la respuesta.

DE 3.1.9

a.

doble 25

es igual a

doble _____ más doble _____

doble 25 son _____

b.

doble 35

es igual a

doble _____ más doble _____

doble 35 son _____

Prepárate para el módulo 2

Cada imagen indica un vértice de un **cuadrilátero**. Utiliza una regla para completar las figuras.

a.

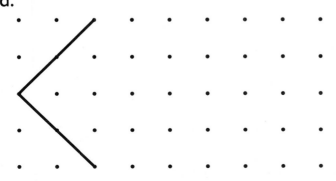

b.

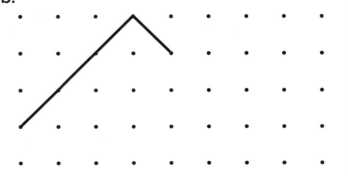

Conoce   ¿Qué sabes acerca de esta balanza de platillos?

25   15

¿Qué ecuación podrías escribir que corresponda a la balanza?
¿Qué símbolo debes utilizar?

La balanza de platillos está nivelada, entonces la ecuación debe utilizar el símbolo =.

¿Cómo podrías utilizar esa ecuación para calcular estas?

$26 = 15 +$ ___ $25 = 16 +$ ___

$27 = 15 +$ ___ $25 = 17 +$ ___

$28 = 15 +$ ___ $25 = 18 +$ ___

$29 = 15 +$ ___ $25 = 19 +$ ___

¿Cuáles dígitos cambian en cada set de ecuaciones?
¿Cuáles dígitos quedan igual?

Intensifica   1. Tu profesor te dará dos cubos rotulados. Lánzalos y elige un número para completar **cualquier** ecuación en **cualquier** set y hacerla verdadera. Continúa hasta que hayas completado todos los sets.

a. SET A	b. SET B	c. SET C
$13 +$ ___ $= 14$	$13 +$ ___ $= 23$	___ $+ 6 = 66$
$13 +$ ___ $= 15$	$13 +$ ___ $= 33$	$50 +$ ___ $= 55$
$13 +$ ___ $= 16$	$13 +$ ___ $= 43$	___ $+ 4 = 44$
$13 +$ ___ $= 17$	$13 +$ ___ $= 53$	$30 +$ ___ $= 33$
$13 +$ ___ $= 18$	$13 +$ ___ $= 63$	___ $+ 2 = 22$
$13 +$ ___ $= 19$	$13 +$ ___ $= 73$	$10 +$ ___ $= 11$

2. a. Observa los sets de ecuaciones de la pregunta I.
En el set A, ¿cómo cambian los dígitos de las unidades en los totales?

_____

b. En el set B, ¿cómo cambian los dígitos de las decenas en los totales?

_____

3. Escribe los números que faltan en cada set de abajo.

a.

$48 + \underline{\hspace{2cm}} = 65$

$49 + \underline{\hspace{2cm}} = 65$

$50 + \underline{\hspace{2cm}} = 65$

$51 + \underline{\hspace{2cm}} = 65$

$52 + \underline{\hspace{2cm}} = 65$

b.

$95 = \underline{\hspace{2cm}} + 77$

$95 = \underline{\hspace{2cm}} + 76$

$95 = \underline{\hspace{2cm}} + 75$

$95 = \underline{\hspace{2cm}} + 74$

$95 = \underline{\hspace{2cm}} + 73$

c.

$13 + \underline{\hspace{2cm}} = 105$

$14 + \underline{\hspace{2cm}} = 105$

$15 + \underline{\hspace{2cm}} = 105$

$16 + \underline{\hspace{2cm}} = 105$

$17 + \underline{\hspace{2cm}} = 105$

Avanza Observa cómo han cambiado los números rojos.
Completa los patrones de suma.

a. **Patrón A**

El dígito en la posición de las **decenas cambia**.

$\underline{\hspace{2cm}} + 14 = 38$

$\underline{\hspace{2cm}} + 14 = 48$

$\underline{\hspace{2cm}} + 14 = \underline{\hspace{2cm}}$

$\underline{\hspace{2cm}} + 14 = \underline{\hspace{2cm}}$

$\underline{\hspace{2cm}} + 14 = \underline{\hspace{2cm}}$

b. **Patrón B**

El dígito en la posición de las **unidades cambia**.

$13 + 12 = \underline{\hspace{2cm}}$

$14 + 12 = \underline{\hspace{2cm}}$

$\underline{\hspace{2cm}} + 12 = \underline{\hspace{2cm}}$

$\underline{\hspace{2cm}} + 12 = \underline{\hspace{2cm}}$

$\underline{\hspace{2cm}} + 12 = \underline{\hspace{2cm}}$

Conoce

Eva y Brady están leyendo el mismo libro. Eva ha leído 47 páginas. Brady ha leído 75 páginas más que Eva.

¿Cuántas páginas ha leído Brady?

¿Piensas que Brady ha leído más de o menos de 100 páginas?

> El resultado de la suma se llama **suma** o **total**.

¿Cómo lo decidiste?

Lomasi utilizó una recta numérica para calcular la suma.

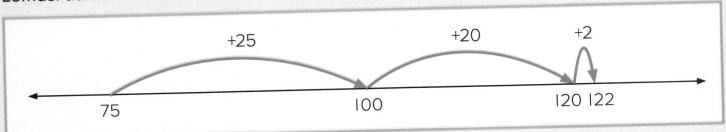

¿Qué pasos sigue ella?

¿Cómo descompone ella el 47 en partes para sumar más fácilmente?

¿Qué imagen simple podrías dibujar para calcular la suma?

> El 47 se descompone en tres partes: 25 + 20 + 2. Lomasi puede ahora saltar al 100, que hace más fácil el sumar.

Intensifica

I. Dibuja imágenes para indicar cómo agrupar los bloques de decenas y agrupar los bloques de unidades. Luego completa los enunciados.

a.

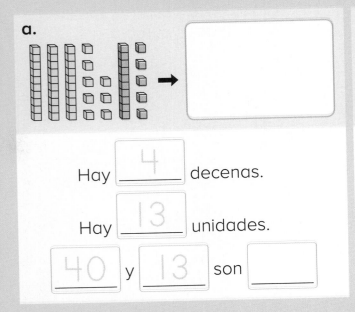

Hay ___4___ decenas.

Hay ___13___ unidades.

___40___ y ___13___ son _____

b.

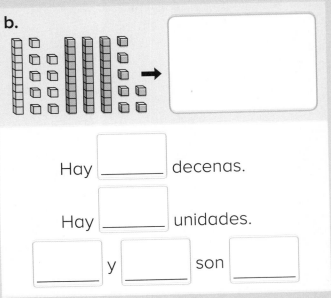

Hay _____ decenas.

Hay _____ unidades.

_____ y _____ son _____

46

2. Calcula cada suma. Dibuja saltos en la recta numérica para indicar tu razonamiento.

a.

$45 + 22 = \boxed{}$

b.

$27 + 55 = \boxed{}$

c.

$85 + 29 = \boxed{}$

3. Calcula cada suma. Puedes indicar tu razonamiento en la página 80.

a.
$20 + 34 = \boxed{}$

b.
$24 + 24 = \boxed{}$

c.
$31 + 42 = \boxed{}$

d.
$35 + 17 = \boxed{}$

e.
$26 + 65 = \boxed{}$

f.
$47 + 47 = \boxed{}$

g.
$18 + 45 = \boxed{}$

h.
$62 + 59 = \boxed{}$

i.
$74 + 48 = \boxed{}$

Avanza

Britney y Kyle están coleccionando tarjetas intercambiables. Kyle tiene 56 tarjetas. Britney tiene 20 tarjetas más que Kyle. ¿Cuántas tarjetas tienen en total?

$\boxed{}$ tarjetas

Práctica de cálculo

★ Utiliza una regla para trazar una línea recta hasta el total correcto. La línea pasará por un número y una letra. Escribe cada letra arriba del número correspondiente en la parte inferior de la página. Algunos totales y letras se repiten.

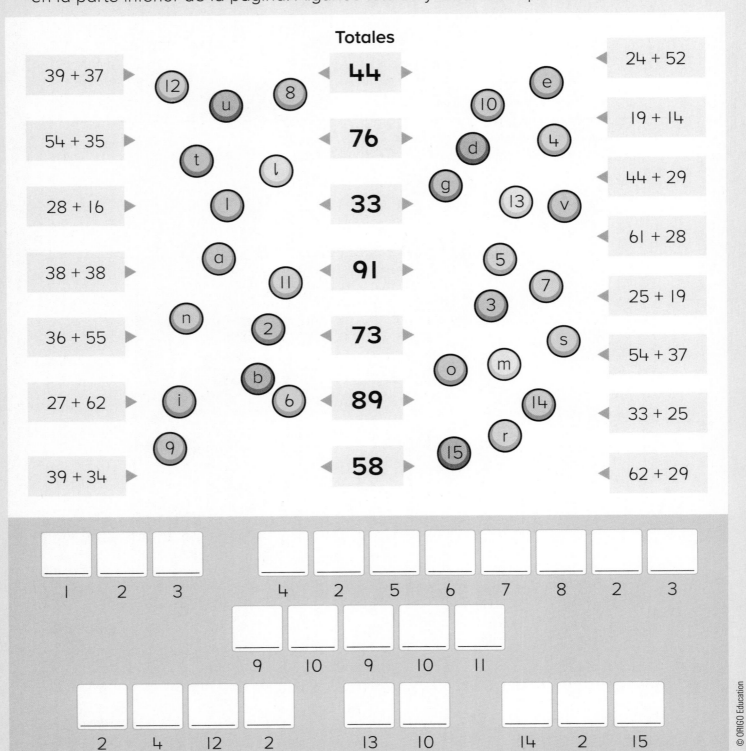

Práctica continua

1. Escribe el número que indica cada flecha.

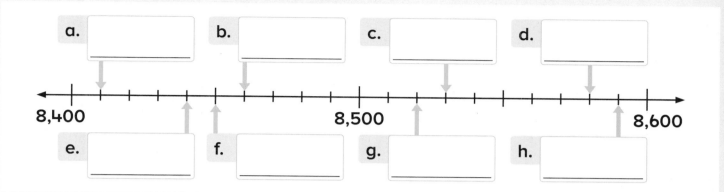

a.

b.

c.

d.

8,400   8,500   8,600

e.

f.

g.

h.

2. Completa las ecuaciones. Utiliza un patrón como ayuda.

SET A

$39 + \underline{\hspace{1cm}} = 54$

$40 + \underline{\hspace{1cm}} = 54$

$41 + \underline{\hspace{1cm}} = 54$

$42 + \underline{\hspace{1cm}} = 54$

SET B

$75 = 56 + \underline{\hspace{1cm}}$

$75 = 57 + \underline{\hspace{1cm}}$

$75 = 58 + \underline{\hspace{1cm}}$

$75 = 59 + \underline{\hspace{1cm}}$

SET C

$\underline{\hspace{1cm}} + 103 = 165$

$\underline{\hspace{1cm}} + 104 = 165$

$\underline{\hspace{1cm}} + 105 = 165$

$\underline{\hspace{1cm}} + 106 = 165$

Prepárate para el módulo 3

Utiliza los números que faltan para describir cada matriz.

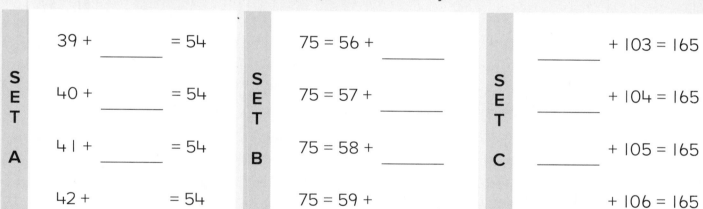

a.

____ filas con ____ en cada fila

b.

____ filas con ____ en cada fila

c.

____ filas con ____ en cada fila

Conoce ¿Cómo podrías calcular el total de estos dos precios?

$125

$37

Sé que el total es 162 porque inicio en 125 y luego sumo 30 y 7 en dos saltos.

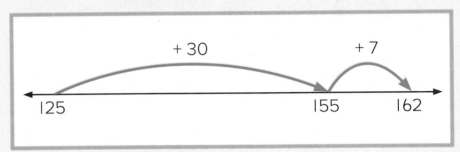

+ 30   + 7

125   155   162

¿Cómo podrías utilizar bloques para calcular la suma?

José utiliza este método escrito.

¿Qué pasos sigue él?

¿Cómo podrías utilizar el método de José para calcular 246 + 71?

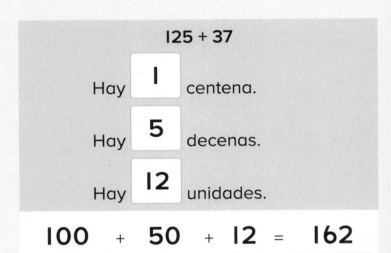

125 + 37

Hay **1** centena.

Hay **5** decenas.

Hay **12** unidades.

100 + **50** + **12** = **162**

Intensifica

1. Escribe el número de centenas, decenas y unidades. Escribe una ecuación para indicar el total. Puedes utilizar bloques como ayuda.

a.   **324 + 63**

Hay ____ centenas.

Hay ____ decenas.

Hay ____ unidades.

____ + ____ + ____ = ____

b.   **481 + 54**

Hay ____ centenas.

Hay ____ decenas.

Hay ____ unidades.

____ + ____ + ____ = ____

2. Completa estas declaraciones. Puedes utilizar bloques como ayuda.

a.

$256 + 39$

Hay ___ centenas.

Hay ___ decenas.

Hay ___ unidades.

___ + ___ + ___ = ___

b.

$684 + 41$

Hay ___ centenas.

Hay ___ decenas.

Hay ___ unidades.

___ + ___ + ___ = ___

3. Escribe el total. Luego dibuja saltos en la recta numérica para indicar tu razonamiento.

a.

$316 + 48 =$ ___

b.

$572 + 53 =$ ___

Avanza   Utiliza el método escrito de José para calcular cada total.

a.

$214 + 49 =$ ___

___ + ___ + ___ = ___

b.

$762 + 84 =$ ___

___ + ___ + ___ = ___

Conoce   ¿Cómo podrías calcular el costo total de los boletos a Seattle y Nueva York?

Econovuelos

Seattle	$135
Portland	$157
Nueva York	$413

¿Piensas que es más de o menos de $600?
¿Cómo hiciste tu estimado?

Carol calcula la suma de esta manera.

¿Qué te dicen los números en cada fila?

¿Cómo podrías calcular la suma?

	C	D	U	
	4	1	3	
+	1	3	5	
			8	← total de unidades
		4	0	← total de decenas
	5	0	0	← total de centenas
	5	4	8	

Yo sumé los totales en cada fila. Eso es 500 + 40 + 8.

Yo escribí el número de unidades (8), decenas (4) y centenas (5).

Calcula el costo total de los boletos a Portland y Seattle.

Intensifica   1. Utiliza la estrategia de Carol para calcular cada suma.

a.

	C	D	U
	3	2	5
+	2	1	4

b.

	C	D	U
	5	4	1
+	2	4	7

c.

	C	D	U
	6	0	4
+	3	9	1

2. Calcula cada suma.

a.

C	D	U
1	5	8
+ 1	2	4

1 2
7 0
2 0 0
2 8 2

b.

C	D	U
3	4	8
+ 3	1	7

c.

C	D	U
6	0	9
+ 1	4	7

d.

C	D	U
2	7	6
+ 1	5	6

e.

3	9	5
+ 2	5	1

f.

4	8	6
+ 2	3	2

g.

7	4	0
+ 1	9	8

h.

3	8	5
+ 1	7	6

Avanza

Deana asistió a un curso de entrenamiento. Sus vuelos costaron $216 y su estadía costó $135. La tarifa del curso fue $130. ¿Cuánto gastó ella en total? Indica tu razonamiento.

$_____

Piensa y resuelve En cada cuadrado, suma los números en las casillas sombreadas para calcular el **número mágico**.

Completa cada cuadrado mágico.

a.

16		14
12	17	10

b.

6	11	
	7	9
10	3	

> En un cuadrado mágico, los tres números en cada fila, columna y diagonal suman el mismo número. Éste es llamado **número mágico**.

Palabras en acción

Escribe con palabras cómo puedes resolver esta ecuación en una recta numérica. Puedes utilizar palabras de la lista y dibujar un diagrama como ayuda.

216 + 38 = ?

saltar
total
centenas
decenas
unidades
sumar
suma

Práctica continua

I. Escribe el número correspondiente en el expansor y con palabras.

DE 3.1.4

a. 3,605

millares	

b. 7,091

millares	

2. Escribe el número de centenas, decenas y unidades. Luego escribe una ecuación para indicar el total. Puedes utilizar bloques como ayuda.

DE 3.2.3

a. **267 + 25**

Hay ____ centenas.

Hay ____ decenas.

Hay ____ unidades.

____ + ____ + ____ = ____

b. **354 + 72**

Hay ____ centenas.

Hay ____ decenas.

Hay ____ unidades.

____ + ____ + ____ = ____

Prepárate para el módulo 3

Duplica las decenas, **luego** duplica las unidades. Escribe el total.

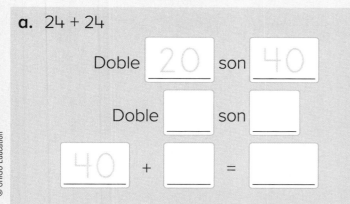

a. 24 + 24

Doble 20 son 40

Doble ____ son ____

40 + ____ = ____

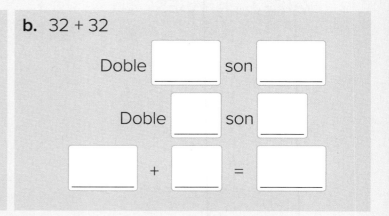

b. 32 + 32

Doble ____ son ____

Doble ____ son ____

____ + ____ = ____

© ORIGO Education

Conoce

La tabla indica las yardas en pases que hizo el mismo jugador en cuatro juegos.

¿Cómo podrías calcular el total de yardas en pases de los juegos 1 y 2?

Puedo calcularlo mentalmente.
Son 300 + 224 + 7.

YARDAS EN PASES	
Juego 1	224 yardas
Juego 2	307 yardas
Juego 3	181 yardas
Juego 4	235 yardas

¿Cómo podías calcular el total de yardas en pases de los juegos 3 y 4?

Estos dos números son más difíciles de sumar, entonces anotaré mis pasos.

	C	D	U
	2	3	5
+	1	8	1
			6
	1	1	0
	3	0	0
	4	1	6

¿Cuál es tu estimado del total de yardas en pases que fueron hechas durante todos los cuatro juegos?

Intensifica

1. Utiliza un método mental o escrito para calcular el total de yardas en pases en cada uno de estos juegos.

YARDAS EN PASES	
Juego 1	153 yardas
Juego 2	235 yardas
Juego 3	319 yardas
Juego 4	290 yardas

a. Juegos 1 y 2

_____ yardas

b. Juegos 3 y 4

_____ yardas

2. Resuelve cada problema. Indica tu razonamiento.

a. Se vendieron 199 perros calientes en la primera mitad y 175 en la segunda mitad. ¿Cuántos perros calientes se vendieron?

_____ perros calientes

b. 246 personas fueron al juego 1. 60 más fueron al juego 2. ¿Cuántas personas fueron a los dos juegos?

_____ personas

c. El equipo viaja 142 millas para el primer partido, 139 millas para el siguiente partido y 105 millas de regreso a casa. ¿Cuál es la distancia total viajada?

_____ millas

d. 189 boletos fueron vendidos en una hora. Esto es 105 menos que en la hora siguiente. ¿Cuántos fueron vendidos en la hora siguiente?

_____ boletos

Avanza

Cada tabla indica las yardas que corrieron tres jugadores. Encierra los jugadores que corrieron 300 yardas o más.

YARDAS CORRIDAS Jugador 1	
Juego 1	92 yardas
Juego 2	47 yardas
Juego 3	75 yardas
Juego 4	97 yardas

YARDAS CORRIDAS Jugador 2	
Juego 1	32 yardas
Juego 2	141 yardas
Juego 3	45 yardas
Juego 4	65 yardas

YARDAS CORRIDAS Jugador 3	
Juego 1	82 yardas
Juego 2	71 yardas
Juego 3	59 yardas
Juego 4	110 yardas

Conoce

¿Qué hora indica este reloj?
¿Cómo lo sabes?

7 y 20 minutos.

También podría decir siete y veinte.

¿Qué notas en el minutero de este reloj?

¿Qué te dicen las marcas entre los números del reloj?

¿Cuántos minutos después de la hora está indicando el reloj?

¿Qué hora se indica en el reloj?

Escribe números en el reloj digital para indicar la misma hora.

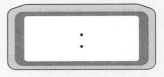

¿Qué te dicen los números a la izquierda de los dos puntos?

¿Qué te dicen los números a la derecha de los dos puntos?

Si esta hora es antes del mediodía, ¿escribirías a.m. o p.m. después de la hora?

Intensifica

1. Escribe el número de minutos que han pasado después de cada hora.

a.

7 y _____ minutos

b.

2 y _____ minutos

c.

5 y _____ minutos

2. Escribe cada hora.

a.

☐ y ☐ minutos

b.

☐ y ☐ minutos

c.

☐ y ☐ minutos

d.

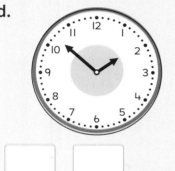

☐ y ☐ minutos

e.

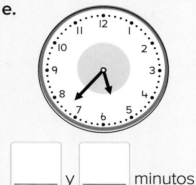

☐ y ☐ minutos

f.

☐ y ☐ minutos

3. Dibuja las manecillas en el reloj de manera que correspondan a la hora.

a.

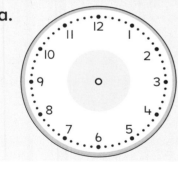

9 y 23 minutos

b.

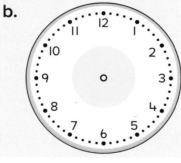

3 y 45 minutos

c.

7 y 4 minutos

Avanza

Henry necesita calentar un trozo de tarta por 10 minutos.

Este reloj indica la hora en que él pone la tarta en el horno. ¿A qué hora beberá sacar la tarta?

_____

Reforzando conceptos y destrezas

Práctica de cálculo   ¿Cuál mano deberías utilizar para revolver el café?

★ Completa las ecuaciones. Luego escribe cada letra arriba de la diferencia correspondiente en la parte inferior de la página. Algunas letras se repiten.

$95 - 18 =$ ____ **g** $55 - 29 =$ ____ **h**

$75 - 19 =$ ____ **n** $85 - 28 =$ ____ **a**

$55 - 28 =$ ____ **e** $95 - 49 =$ ____ **u**

$85 - 69 =$ ____ **b** $85 - 38 =$ ____ **d**

$55 - 38 =$ ____ **a** $75 - 39 =$ ____ **c**

$95 - 19 =$ ____ **í** $95 - 58 =$ ____ **r**

$95 - 28 =$ ____ **s** $85 - 19 =$ ____ **n**

	i				
56	66	77	46	56	57

,

47	27	16	27	37	76	57	67	46	67	17	37

46	66	57	36	46	36	26	57	37	57

Práctica continua

1. Dibuja monedas para pagar por cada estampilla con la cantidad exacta.

a.

USA
36¢

b.

USA
95¢

2. Resuelve cada problema. Indica tu razonamiento.

a. Una familia condujo 57 millas hasta un parque de diversiones. El precio de la entrada era de $228, y gastaron $65 en el almuerzo. ¿Cuánto dinero gastaron en total en el parque de diversiones?

$_____

b. Terek gana $27 y los suma a sus ahorros. Él ahora tiene $193 en ahorros. ¿Cuánto dinero tenía en ahorros antes?

$_____

Prepárate para el módulo 3

Utiliza un doble que conozcas para calcular estos dobles. Escribe los números para indicar tu razonamiento.

a. Doble 6

Doble 5 son _____

Doble 1 son _____

entonces

Doble 6 son _____

b. Doble 8

Doble _____ son _____

Doble _____ son _____

entonces

Doble 8 son _____

c. Doble 7

Doble _____ son _____

Doble _____ son _____

entonces

Doble 7 son _____

Conoce

¿Cómo puedes calcular el número de minutos después de la hora que indica este reloj?

¿Cómo lees el tiempo transcurrido después de la hora?

¿Cómo puedes calcular el número de minutos que faltan para la siguiente hora?

Escribe números para completar las dos maneras de leer esta hora.

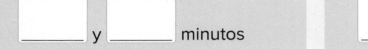

_____ y _____ minutos

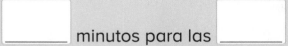

_____ minutos para las _____

¿Cuántos minutos después de la hora indica este reloj digital?

¿Cómo puedes calcular el número de minutos que faltan para la hora siguiente?

5:42

¿Hay alguna otra manera de calcularlo?

Completa para indicar dos maneras de leer las hora digital de arriba.

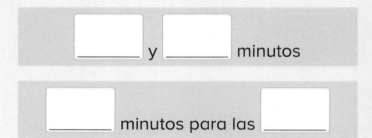

_____ y _____ minutos

_____ minutos para las _____

Intensifica

I. Escribe el número de minutos después de la hora y el número de minutos que faltan para la hora siguiente. Escribe la hora en el reloj digital.

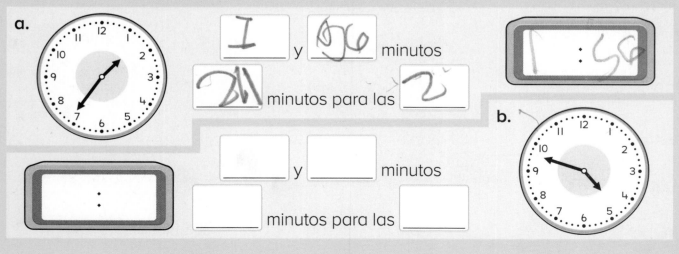

2. Completa estas horas para indicar horas correspondientes.

a.

 y  minutos

_____ minutos para las _____

b.

_____ y _____ minutos

_____ minutos para las _____

c.
_____ y _____ minutos

_____ minutos para la _____

3. Completa estas horas.

a.
 _____ minutos para las _____

b.
 _____ minutos para las _____

c.
 _____ minutos para las _____

d.
 _____ minutos para las _____

Avanza   Encierra las horas que **tú** podrías leer fácilmente como minutos para la hora.

ORIGO Stepping Stones · 3.er grado · 2.8

Conoce

Piensa en todas las maneras diferentes en que podrías leer esta hora.

2 y 45 minutos.

15 minutos para las 3.

Dos y cuarenta y cinco.

Un cuarto para las 3.

¿Qué otras maneras conoces?

¿Cuáles son todas las maneras diferentes en que podrías leer estas horas?

Intensifica

1. Escribe tres maneras diferentes en que podrías leer cada hora.

a.

b.

© ORIGO Education

2. Traza líneas para conectar las horas con el reloj correspondiente.
Tacha la hora que no corresponda a ningún reloj.

a.

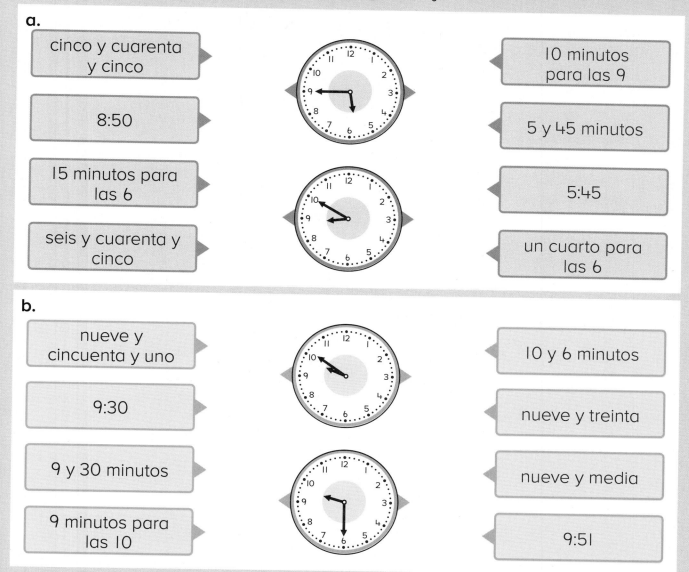

cinco y cuarenta y cinco

8:50

15 minutos para las 6

seis y cuarenta y cinco

10 minutos para las 9

5 y 45 minutos

5:45

un cuarto para las 6

b.

nueve y cincuenta y uno

9:30

9 y 30 minutos

9 minutos para las 10

10 y 6 minutos

nueve y treinta

nueve y media

9:51

Avanza   Utiliza el reloj como ayuda para resolver el problema verbal.

Tres amigos llegan a la escuela a horas diferentes. Emma llega a las siete y cincuenta. A Jack lo dejan faltando un cuarto para las ocho. Abigail llega a las ocho y quince.

Escribe los nombres de los tres amigos en orden desde el que llega primero hasta el que llega último.

primero   segundo   tercero

Piensa y resuelve

¿Cuántas veces aparece el 8 en un reloj digital entre las 10:00 de la mañana y las 2:00 de la tarde?

Palabras en acción

Escribe un problema verbal que corresponda a las horas de inicio y final que indican estos relojes. Luego escribe la respuesta.

inicio    final

I. Dibuja los billetes y monedas que correspondan a cada cantidad.

| $ | ¢ |

DE 2.11.11

a. seis dólares y setenta y dos centavos

b. diez dólares y sesenta y siete centavos

2. Escribe cada hora.

DE 3.2.5

a.

_____ y _____ minutos

b.

_____ y _____ minutos

c.

_____ y _____ minutos

Prepárate para el módulo 3

Escribe **es mayor que** o **es menor que** para hacer cada declaración verdadera.

a.

573 _____ 734

b.

989 _____ 998

c.

291 _____ 219

Conoce

Akari tom el autobús a su casa todos los días. El autobús sale a las 3:25 p.m. Akari se baja al frente de su casa a las 4:05 p.m.

¿Cómo podrías calcular la duración del viaje en autobús a la casa de Akari cada día?

Cole utiliza una recta numérica para calcular la duración del viaje.

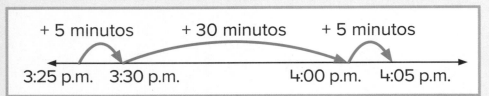

+ 5 minutos   + 30 minutos   + 5 minutos

3:25 p.m.   3:30 p.m.   4:00 p.m.   4:05 p.m.

¿Qué pasos sigue Cole?

¿Cuánto dura el viaje en autobús?

Hacer saltos hasta la hora o la media hora puede ser útil.

Intensifica

I. Todos estos relojes indican horas después del mediodía del mismo día. Calcula la duración de cada viaje.

a. El autobús sale   El autobús llega

El viaje dura ___ minutos.

b. El autobús sale   El autobús llega

El viaje dura ___ minutos.

c. El autobús sale   El autobús llega

4:07   4:24

El viaje dura ___ minutos.

d. El autobús sale   El autobús llega

3:38   4:05

El viaje dura ___ minutos.

2. Dibuja saltos en la recta numérica para resolver cada problema.

a. Carrina contesta el teléfono a las 7:45 a.m. Ella termina la llamada a las 8:10 a.m. ¿Cuánto duró la otra llamada telefónica?

_____ minutos

b. Mi papá mete una pizza al horno a las 1:35 p.m. Él saca la pizza del horno 40 minutos más tarde. ¿A qué hora sacó la pizza mi papá?

_____ p.m.

c. Un juego inicia a las 2:52 p.m. y dura 21 minutos. ¿A qué hora terminó el juego?

_____ p.m.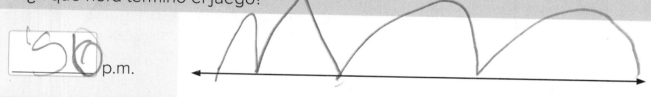

d. Una película inicia a las 6:35 p.m. y termina a las 8:15 p.m. ¿Cuánto dura la película?

_____ minutos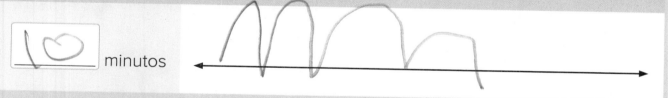

Avanza Utiliza el reloj como ayuda para resolver cada problema.

a. El tren sale a las 7:14 a.m. y llega a la Estación Central 8 minutos después. ¿A qué hora llega el tren?

b. A Luis le toma 15 minutos llegar a la escuela en bicicleta. Si él llega a las 8:04, ¿a qué hora salió?

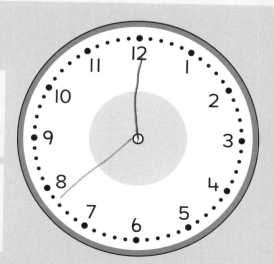

Conoce

¿Qué notas en estos cuadriláteros?

Compara los ángulos de cada figura. ¿Qué notas?

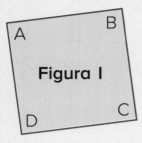

Figura 1

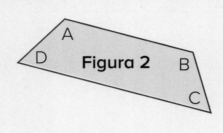

Figura 2

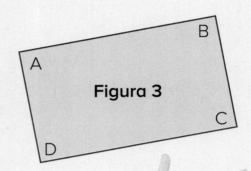

Figura 3

¿Qué es diferente en los ángulos de la figura 2?

¿Qué tipo de rectángulo es la figura 1?
¿Qué tipo de rectángulo es la figura 3?

Todos los cuadriláteros que tienen ángulos del mismo tamaño se llaman **rectángulos**.

En la figura 1 y en la figura 3 todos los ángulos lucen del mismo tamaño.

Intensifica

1. Cada imagen indica un ángulo de un cuadrilátero. Dibuja los otros dos lados para hacer un cuadrado o un rectángulo no cuadrado.

a.

b.
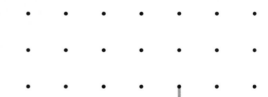

c.
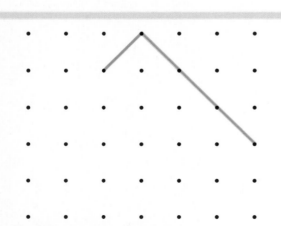

d.
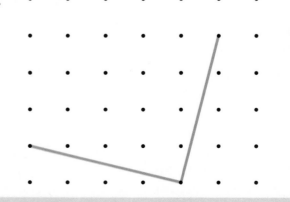

2. Traza líneas de un punto a otro para partir cada figura en **tres** rectángulos. La primera se hizo como ejemplo.

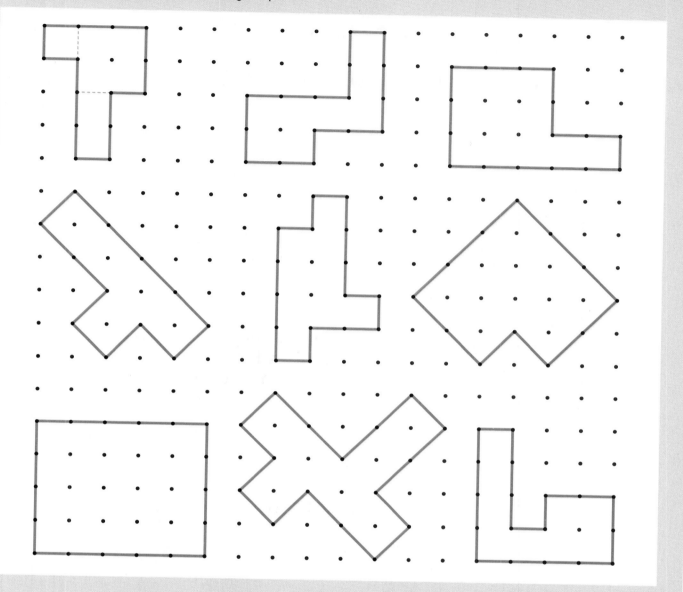

Avanza

La figuras se pueden unir para hacer otras figuras. Por ejemplo, estos dos triángulos forman un cuadrado.

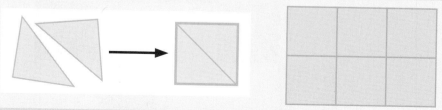

¿Cuántos rectángulos hay en la figura de la derecha?
Recuerda que las figuras se pueden unir.
Busca rectángulos de tamaños y formas diferentes.

Práctica de cálculo

★ Escribe las respuestas en la cuadrícula de abajo.

Horizontal	Vertical
a. 85 − 48	**a.** 23 + 16
b. 33 + 29	**b.** 95 − 29
c. 20 + 46	**c.** 88 − 23
e. 57 − 22	**d.** 44 − 10
f. 39 + 25	**e.** 15 + 15
g. 45 + 45	**f.** 96 − 32
h. 76 − 62	**g.** 62 + 37
i. 10 + 37	**h.** 75 − 58
k. 67 − 57	**i.** 20 + 20
l. 65 − 29	**j.** 23 + 23

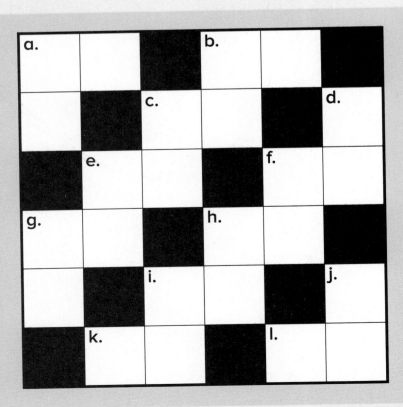

1. Observa esta gráfica.

Jugo de frutas favorito

$\square$ = 1 voto

Manzana							
Naranja							
Uva							

a. ¿Cuál jugo es el más popular?

b. ¿A cuántas personas les gusta el jugo de manzana?

c. ¿Cuál es la diferencia entre el número de votos para naranja y el número de votos para uva?

2. Completa estas horas para indicar horas correspondientes.

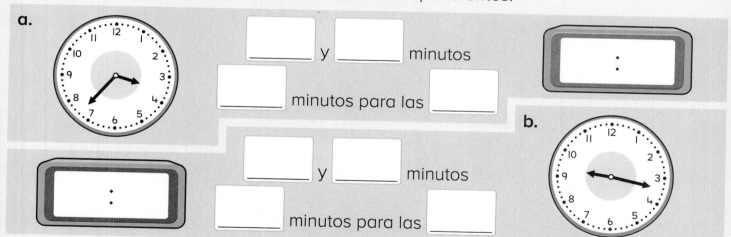

a.

_____ y _____ minutos

_____ minutos para las _____

_____ y _____ minutos

_____ minutos para las _____

b.

Prepárate para el módulo 3

Esta tabla indica el dinero recaudado para la beneficencia.

Semana				
Uno	Dos	Tres	Cuatro	Cinco
$49	$45	$78	$57	$62

a. Escribe las cantidades **mayores que** $50.

b. Escribe las cantidades en orden de **mayor** a **menor**.

_____ , _____ , _____ , _____ , _____

Conoce Encierra todas las figuras que tienen todos sus lados de igual longitud.

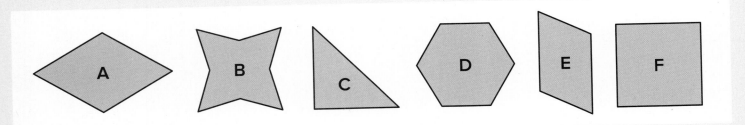

¿Cuáles figuras son cuadriláteros?

La palabra **rombo** se utiliza para describir cuadriláteros que tienen cuatro lados de igual longitud. ¿Cuáles figuras de las figuras de arriba son rombos?

Intensifica

I. Encierra cada rombo. Utiliza una regla de centímetro como ayuda para decidir.

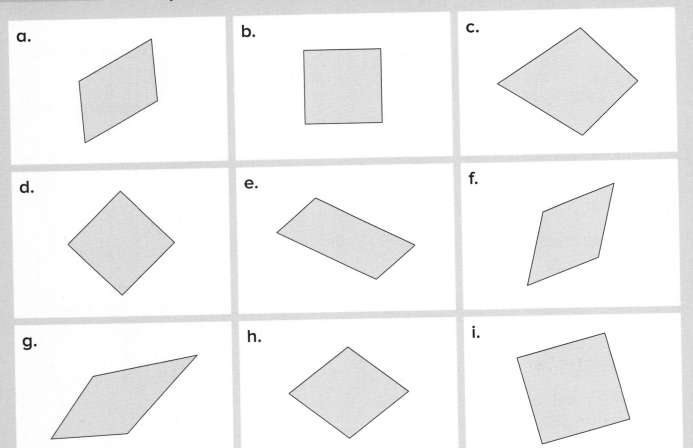

2. Escribe **R** dentro de las figuras de la pregunta I que sean rectángulos.

3. Donna quiere hacer rombos con grupos de pajitas. Ella debe utilizar **todas** las pajitas en cada grupo. Cuenta y mide las pajitas en cada grupo y colorea el ⬭ junto a la respuesta correcta.

a.

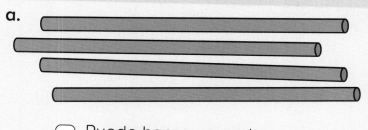

⬭ Puede hacer un rombo.
⬭ No puede hacer un rombo.

b.

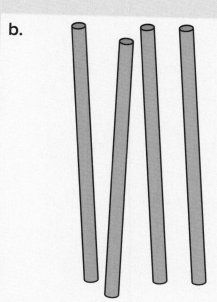

⬭ Puede hacer un rombo.
⬭ No puede hacer un rombo.

c.

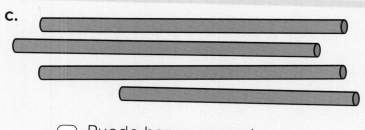

⬭ Puede hacer un rombo.
⬭ No puede hacer un rombo.

d.

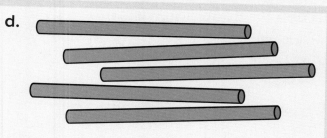

⬭ Puede hacer un rombo.
⬭ No puede hacer un rombo.

e.

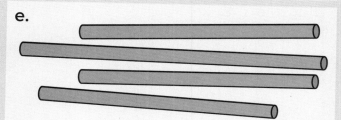

⬭ Puede hacer un rombo.
⬭ No puede hacer un rombo.

Avanza

Las figuras se pueden unir para hacer figuras más grandes. Por ejemplo, estos dos triángulos se pueden unir para formar un triángulo más grande.

¿Cuántos rombos hay en la imagen de la derecha? ☐

Recuerda que las figuras se pueden unir.
Busca rombos de tamaños diferentes.

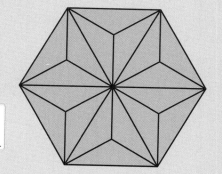

Conoce ¿Qué sabes acerca de estas figuras?

¿Qué es igual entre ellas? ¿Qué es diferente?

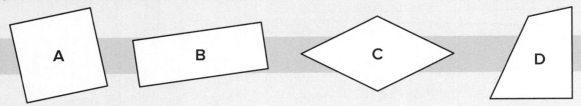

¿A qué familia de figuras pertenecen las figuras?

La figura A es un cuadrilátero porque tiene 4 lados rectos. También es un cuadrado, el cual es un tipo de rombo porque todos sus lados son iguales. También es un tipo de rectángulo porque todos sus vértices forman ángulos del mismo tamaño.

Este diagrama de árbol indica cómo se relacionan los cuadriláteros.

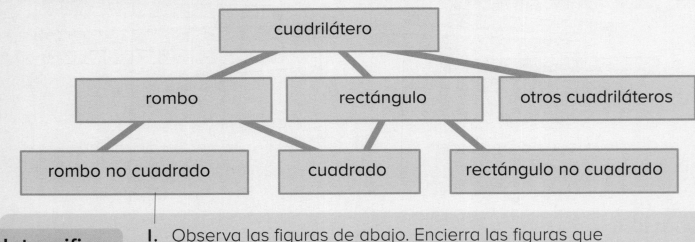

Intensifica

1. Observa las figuras de abajo. Encierra las figuras que **no** pertenezcan a ninguna de las partes del diagrama de árbol de arriba.

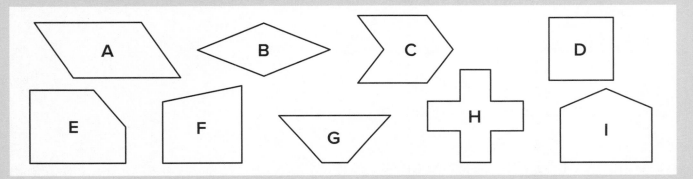

2. Recorta las figuras de la página de apoyo y pégalas en el espacio correcto de abajo. Algunas figuras no pertenecen a ninguno de los espacios. Éstas serán utilizadas en la pregunta siguiente.

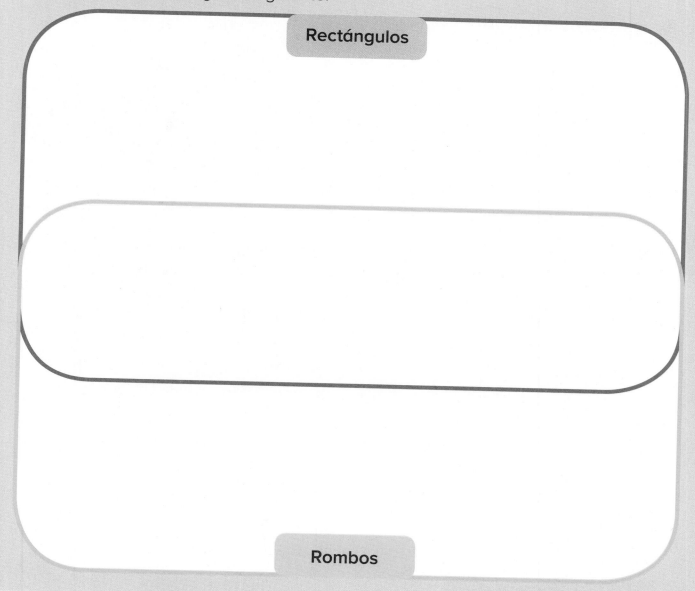

Rectángulos

Rombos

Avanza

Observa las figuras de la página de apoyo que no pertenezcan al diagrama de arriba. Pégalas abajo y luego dibuja otra figura que tampoco pertenezca.

Piensa y resuelve Imagina que el patrón continúa.

a. El edificio 8 tendrá _____ ⬛.

b. El edificio 11 tendrá _____ ⬛.

c. El edificio _____ tendrá 29 ⬛.

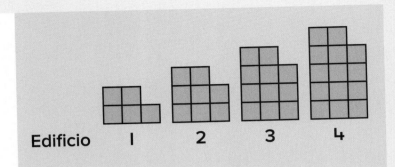

Edificio　　1　　2　　3　　4

Palabras en acción

Lee las pistas. Elige las palabras correspondientes
en **inglés** de la lista y escríbelas en la cuadrícula.

Pistas horizontales

3. Un ___ es un cuadrilátero con todos sus lados de la misma longitud.

5. Las ___ se pueden unir para hacer otras figuras.

6. Un ___ es un tipo especial de rombo.

Pistas verticales

1. Los cuadriláteros que tienen todos los ___ del mismo tamaño se llaman rectángulos.

2. Los cuadriláteros tienen cuatro ángulos y cuatro ___.

4. Un cuadrado es un tipo de rectángulo porque todos sus ángulos son del mismo ___.

shapes
figuras

square
cuadrado

rhombus
rombo

size
tamaño

sides
lados

corners
ángulos

1. Observa esta gráfica.

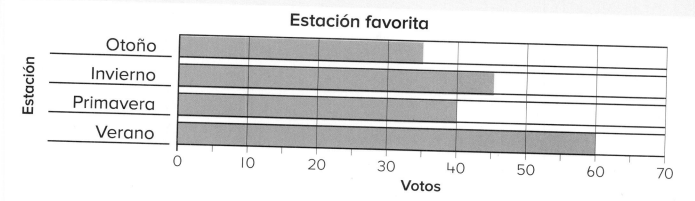

a. ¿Cuáles son las estaciones más populares? _____ y _____

b. ¿Cuántos votos más que el otoño obtuvo el invierno? _____

c. ¿Cuál es la diferencia de votos entre el verano y el otoño? _____

2. Lee el reloj analógico. Luego escribe la misma hora en el reloj digital.

a.

b.

c.

Prepárate para el módulo 3

Escribe la **decena** más cercana a cada número. Piensa en una recta numérica como ayuda.

a.
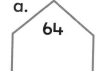
64
_____

b.

69
_____

c.

73
_____

d.

76
_____

e.
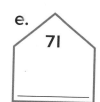
71
_____

Multiplicación: Introduciendo las operaciones básicas del dos

Conoce

¿Qué ves en esta imagen?

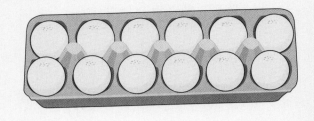

¿Qué operación básica de dobles indica la imagen?

¿Qué ecuación podrías escribir que corresponda a esta imagen de huevos?

¿Qué ves en esta imagen?

Escribe la operación básica de multiplicación correspondiente y su operación básica conmutativa.

☐ × ☐ = ☐   ☐ × ☐ = ☐

¿Cómo calculaste el producto?

¿Qué otros problemas podrías resolver duplicando?

He utilizado la duplicación en la suma.

Intensifica

I. Escribe una operación básica del dos y su operación conmutativa para cada imagen.

a.

___ × ___ = ___

___ × ___ = ___

b.

___ × ___ = ___

___ × ___ = ___

c.

___ × ___ = ___

___ × ___ = ___

2. Escribe la operación básica del dos que corresponda a cada imagen. Luego escribe la operación básica conmutativa.

a.

___ × ___ = ___

___ × ___ = ___

b.

___ × ___ = ___

___ × ___ = ___

c.

___ × ___ = ___

___ × ___ = ___

3. Traza una línea para unir cada ecuación con su ecuación conmutativa. Luego completa las ecuaciones.

$2 \times 9 = $ ___

$12 \times 2 = $ ___

$11 \times 2 = $ ___

$2 \times 14 = $ ___

$2 \times 12 = $ ___

$2 \times 11 = $ ___

$9 \times 2 = $ ___

$14 \times 2 = $ ___

Avanza Escribe los números que faltan.

a.

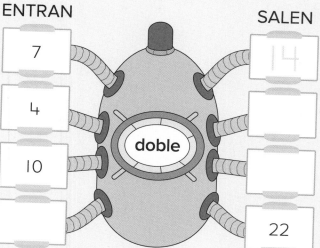

ENTRAN: 7, 4, 10, ___

doble

SALEN: 14, ___, ___, 22

b.

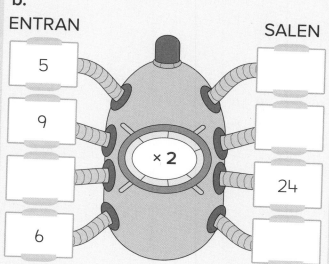

ENTRAN: 5, 9, ___, 6

× 2

SALEN: ___, ___, 24, ___

Conoce

¿Qué imágenes podrías dibujar que correspondan a esta operación básica?

$$2 \times 7 = 14$$

Wendell dibujó filas de manzanas.
¿Cómo corresponde su dibujo a la operación básica?

2 filas de 7 manzanas, eso es 14 en total.

Isabelle dibujó bolsas de canicas.

¿Cómo corresponde su dibujo a la operación básica?

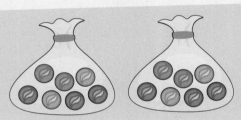

¿Cómo podrías representar la misma operación básica en la recta numérica?

Podrías dibujar 2 saltos de 7 en una recta numérica.

Intensifica

1. Dibuja una imagen que corresponda a cada ecuación.

a.
$$5 \times 2 = 10$$

b.
$$3 \times 2 = 6$$

2. Completa la ecuación.
Luego dibuja saltos en la recta numérica para indicar tu razonamiento.

a.

$2 \times 6 =$ ☐

0

b.

$4 \times 2 =$ ☐

0

c.

$2 \times 5 =$ ☐

0

d.

$9 \times 2 =$ ☐

0

3. Escribe el número que falta en cada ecuación.

a.
$8 \times 2 =$ ☐

b.
☐ $\times 2 = 10$

c.
$10 \times$ ☐ $= 20$

d.
☐ $\times 3 = 6$

e.
$2 \times$ ☐ $= 20$

f.
$14 =$ ☐ $\times 2$

g.
$2 \times$ ☐ $= 8$

h.
$12 = 6 \times$ ☐

Avanza Escribe una ecuación de multiplicación que podrías utilizar para resolver cada problema.

a. Hay 9 cajas de zapatos. Cada caja contiene 2 zapatos. ¿Cuántos zapatos hay en total?

☐ $\times$ ☐ $=$ ☐

b. Luke corta 14 metros de cuerda en trozos de 2 metros. ¿Cuántos trozos de cuerda puede cortar él?

☐ $\times$ ☐ $=$ ☐

Práctica de cálculo   ¿Cómo haces reír a un esqueleto?

★ Utiliza una regla para trazar una línea recta hasta la diferencia correcta. La línea pasará por una letra y un número. Escribe la letra arriba del número correspondiente en la parte inferior de la página. Algunas letras se repiten. La respuesta está en inglés.

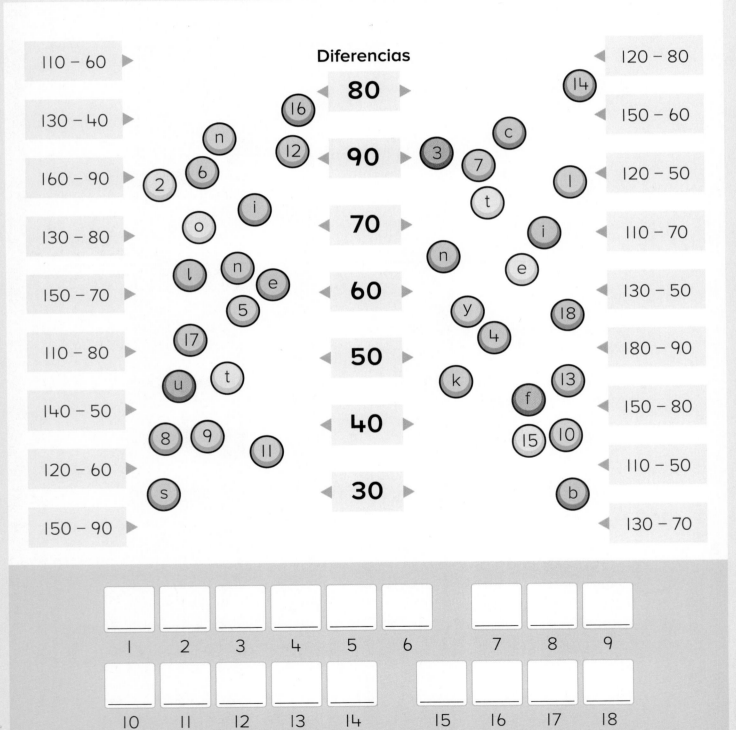

Práctica continua

1. Colorea de rojo una parte de cada tira. Luego encierra la tira que indica **un cuarto** en rojo.

2. Escribe una operación básica del dos y su operación conmutativa para cada imagen.

a.

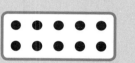

_____ × _____ = _____

_____ × _____ = _____

b.

_____ × _____ = _____

_____ × _____ = _____

c.

_____ × _____ = _____

_____ × _____ = _____

Prepárate para el módulo 4

Escribe el número que hay en cada grupo.

a.

| 9 | libros | 3 | mochilas |

_____ libros en cada mochila

b.

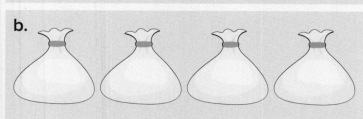

| 12 | canicas | 4 | bolsas |

_____ canicas en cada bolsa

Conoce

Completa cada enunciado de manera que corresponda a esta imagen de bloques.

Doble 13 = ____

2 × 13 = ____

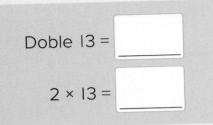

Dibuja más bloques para indicar el doble de 27.

¿Cómo calcularías el total?

Duplica el número de decenas. Luego duplica el número de unidades. Doble de 20 son 40. Doble de 7 son 14. 40 más 14 son 54.

¿Cuál estrategia podrías utilizar para calcular 2 × 48?

Intensifica

I. Dibuja más bloques para duplicar cada número. Luego completa las ecuaciones.

a.
Doble 32 = ____

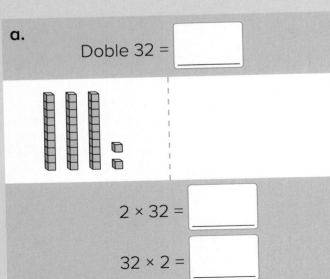

2 × 32 = ____

32 × 2 = ____

b.
Doble 24 = ____

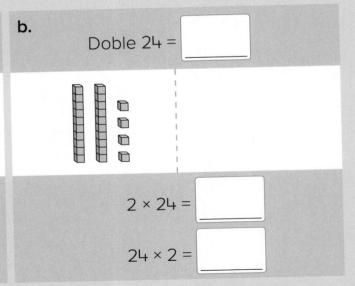

2 × 24 = ____

24 × 2 = ____

2. Completa las ecuaciones. Puedes dibujar bloques como ayuda
en tu razonamiento.

a.

Doble 38 = ____

2 × 38 = ____

38 × 2 = ____

b.

Doble 29 = ____

2 × 29 = ____

29 × 2 = ____

3. Completa cada ecuación. Indica tu razonamiento.

a.

2 × 35 = ____

b.

47 × 2 = ____

Avanza   Escribe los números que faltan.

a.

2 × ____ = 90

b.

____ × 2 = 52

3.4 **Multiplicación: Introduciendo las operaciones básicas del cuatro**

Conoce Hay seis dulces en cada bolsa.

¿Cómo podrías calcular el número total de dulces sin contar cada uno?

Piensa en **doble del doble** para multiplicar por 4.
Doble de 6 son 12.
Doble de 12 son 24.
Entonces, 4 × 6 = 24.

Utiliza el mismo razonamiento para calcular cuántas galletas hay en esta bandeja.

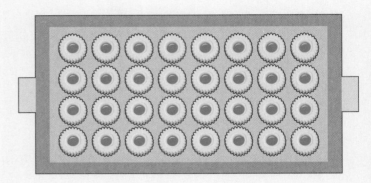

Completa este enunciado de manera que corresponda a la imagen.

Doble 8 son _____ , doble _____ son _____ .

¿Qué otros números podrías multiplicar por 4 utilizando esta estrategia?

Intensifica I. Utiliza la estrategia de **doble del doble** para completar la ecuación.

a.  4 × 3 = _____

doble 3 son _____

doble _____ son _____

b. 4 × 7 = _____

doble 7 son _____

doble _____ son _____

2. Utiliza la estrategia de **doble del doble** para completar la ecuación.
Luego escribe la operación básica conmutativa.

a.

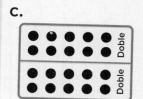

$4 \times 6 =$ _____

$6 \times 4 =$ _____

doble 6 son **12**

doble 12 son _____

b.

$4 \times 8 =$ _____

$8 \times 4 =$ _____

doble _____ son _____

doble _____ son _____

c.

$4 \times 5 =$ _____

$5 \times 4 =$ _____

doble _____ son _____

doble _____ son _____

d.

$4 \times 9 =$ _____

$9 \times 4 =$ _____

doble _____ son _____

doble _____ son _____

3. Completa la ecuación. Luego escribe la operación básica
conmutativa correspondiente.

a.

$4 \times 7 =$ _____

$7 \times 4 =$ _____

b.

$4 \times 3 =$ _____

_____ × _____ = _____

c.

$10 \times 4 =$ _____

_____ × _____ = _____

Avanza Colorea el ◯ junto al razonamiento que podrías utilizar
para calcular el producto. Luego completa la ecuación.

a.

$4 \times 5 =$ _____

◯ doble 4 son 8, doble 8 son 16
◯ doble 5 son 10, doble 10 son 20
◯ doble 4 son 8, doble 5 son 10

b.

$9 \times 4 =$ _____

◯ doble 9 son 18, doble 18 son 36
◯ doble 9 son 18, doble 4 son 8
◯ doble 4 son 8, doble 8 son 16

Piensa y resuelve

Los números en los círculos son las sumas de las filas y columnas.

A	A	(18)
B	C	(12)
B	A	(16)
(23)	(23)	

Por ejemplo, B + A = 16.
Algunas letras son los mismos números.

A = ☐   B = ☐   C = ☐

> Inicia en una fila o columna que tenga las mismas letras.

Palabras en acción

Imagina que tu amiga estuvo ausente cuando aprendiste acerca de la **estrategia de doble del doble** para las operaciones básicas de multiplicación del cuatro. Escribe cómo le explicarías la estrategia a tu amiga.

_____

_____

_____

_____

_____

_____

_____

_____

_____

_____

_____

Práctica continua

I. Cada figura grande es un entero. Utiliza una regla para trazar líneas que conecten las figuras que indiquen la misma fracción coloreada.

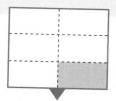 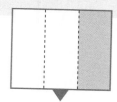 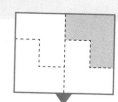 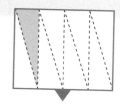

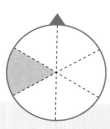 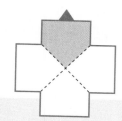 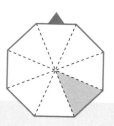 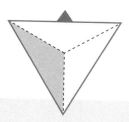

2. Dibuja una imagen que corresponda a la ecuación.

a. $2 \times 4 = 8$

b. $6 \times 2 = 12$

Prepárate para el módulo 4

Escribe la operación básica de multiplicación y su operación básica conmutativa que correspondan a cada ecuación.

a.

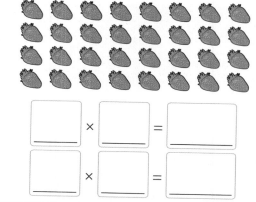

☐ × ☐ = ☐

☐ × ☐ = ☐

b.

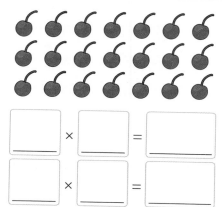

☐ × ☐ = ☐

☐ × ☐ = ☐

Conoce   Estas pelotas de tenis se venden en tubos de tres.

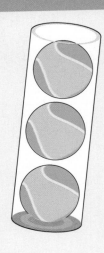

¿Cómo podrías calcular el número de pelotas en dos tubos?

¿Qué ecuación podrías escribir?

¿Cuál es una manera fácil de calcular el número de pelotas de tenis en cuatro tubos?

> Dos recipientes con 3 pelotas es el doble de 3. Entonces, cuatro recipientes con pelotas es el doble del doble de 3.

PELOTAS DE GOLF

¿Qué ecuación correspondiente podrías escribir?

Las pelotas de golf se venden en bolsas de cinco.
¿Cómo podrías calcular el número de pelotas en cuatro bolsas?

Intensifica

I. Utiliza la **estrategia de doble del doble** para resolver cada problema.

a. Hay 7 personas en cada auto.
Hay 4 autos.
¿Cuántas personas hay en total?

doble ___7___ son ___14___

doble ___14___ son ___ ___ personas

b. Hay 4 estantes.
Hay 10 libros en cada estante.
¿Cuántos libros hay en total?

doble ___ ___ son ___ ___

doble ___ ___ son ___ ___ libros

c. Hay 4 baldosas. Cada baldosa mide 6 pulgadas de largo.
¿Cuál es la longitud total?

doble ___ ___ son ___ ___

doble ___ ___ son ___ ___ pulgadas

d. Hay 9 manzanas en cada bolsa. Hay 4 bolsas. ¿Cuántas manzanas hay en total?

doble ___ ___ son ___ ___

doble ___ ___ son ___ ___ manzanas

2. Escribe un número de un dígito en la primera casilla. Luego escribe el doble y el doble del doble.

a.
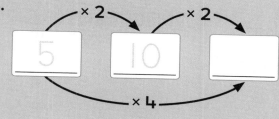

b.
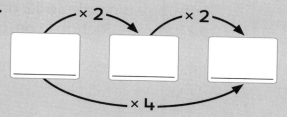

c.
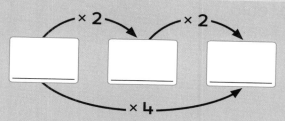

d.
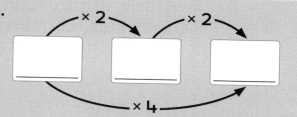

3. Escribe números en el diagrama como ayuda para resolver el problema.

Dena gana $6 por semana. ¿Cuánto dinero podría tener ella después de 4 semanas?

$_____

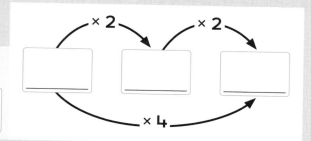

4. Escribe los productos. Piensa en doble del doble. Luego escribe la operación conmutativa.

a.

$5 \times 4 =$ ☐

☐ $\times$ ☐ $=$ ☐

b.

$3 \times 4 =$ ☐

☐ $\times$ ☐ $=$ ☐

c.

$8 \times 4 =$ ☐

☐ $\times$ ☐ $=$ ☐

Avanza

Escribe un número entre el 10 y el 20 en la primera casilla. Luego escribe el doble y el doble del doble.

a.
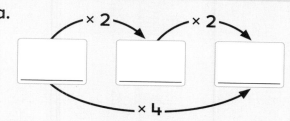

b.
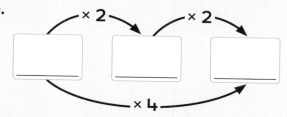

Conoce

Esta bolsa contiene 12 animales de juguete. Richard compra 4 bolsas.

DINOSAURIOS DE JUGUETE
PAQUETE DE 12

¿Cuántos animales de juguete tiene Richard en total?
¿Cómo lo sabes?

Podría utilizar una estrategia de dobles. El doble de 12 son 24. El doble de 24 son 48.

¿Cómo calculaste cada doble?

Las bolsas cuestan $16 cada una.

Completa el diagrama para calcular el costo total.

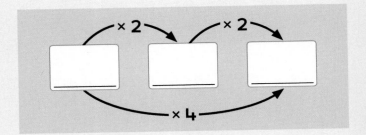

Intensifica

1. Calcula el costo de comprar 4 de cada artículo. Indica tu razonamiento.

a.

BLOQUES
$11

$_____

b.

$25

$_____

c.

$15

$_____

2. Piensa en el doble del doble para escribir los productos. Luego escribe la operación conmutativa. Puedes indicar tu razonamiento en la página 118.

a.

$13 \times 4 =$ ☐

☐ × ☐ = ☐

b.

$4 \times 26 =$ ☐

☐ × ☐ = ☐

c.

$4 \times 32 =$ ☐

☐ × ☐ = ☐

d.

$19 \times 4 =$ ☐

☐ × ☐ = ☐

3. Escribe un número de dos dígitos en la primera casilla. Luego escribe el doble y el doble del doble. Puedes indicar tu razonamiento en la página 118.

a.
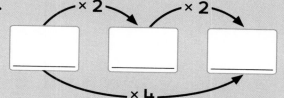

b.
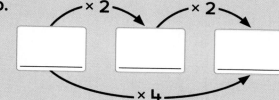

c.
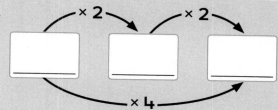

d.
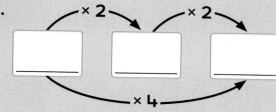

Resuelve este problema. Indica tu razonamiento.

Deana compra dos boletos que cuestan $17 cada uno. Marcos compra cuatro boletos que cuestan $14 cada uno. ¿Cuál es la diferencia entre la cantidad total que paga cada uno?

$ _____

Práctica de cálculo   ¿Qué es negro, blanco y azul?

★ Traza una línea recta hasta el total correcto. La línea pasará por una letra. Escribe la letra en la casilla arriba del total correspondiente en la parte inferior de la página.

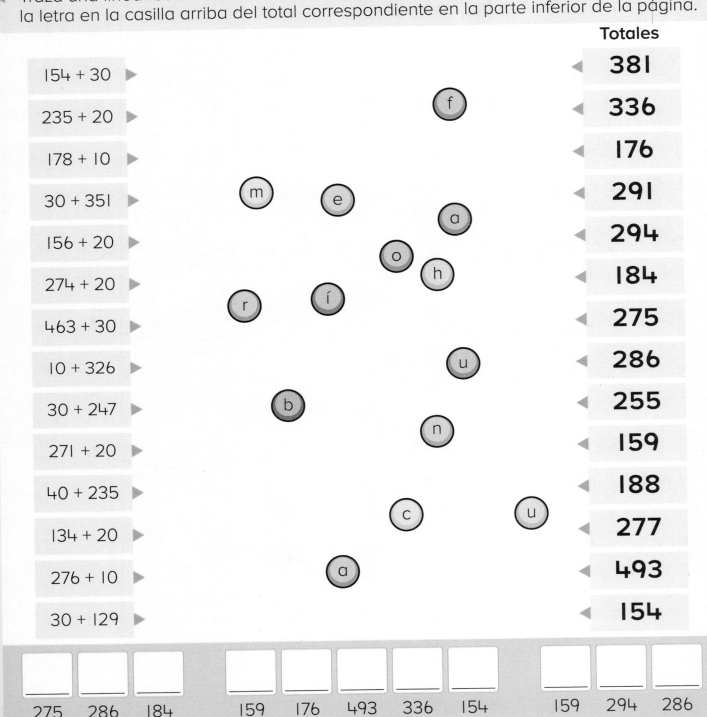

Totales

154 + 30 ▶

235 + 20 ▶

178 + 10 ▶

30 + 351 ▶

156 + 20 ▶

274 + 20 ▶

463 + 30 ▶

10 + 326 ▶

30 + 247 ▶

271 + 20 ▶

40 + 235 ▶

134 + 20 ▶

276 + 10 ▶

30 + 129 ▶

◀ 381
◀ 336
◀ 176
◀ 291
◀ 294
◀ 184
◀ 275
◀ 286
◀ 255
◀ 159
◀ 188
◀ 277
◀ 493
◀ 154

275   286   184   159   176   493   336   154   159   294   286

255   277   159   291   294   381   336   188   294

Práctica continua

1. Encierra las pirámides.

a.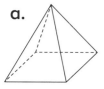

b.

c.

d.

e.

f.

g.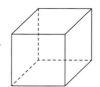

2. Escribe los números que faltan.

a.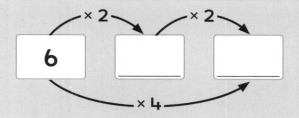

b.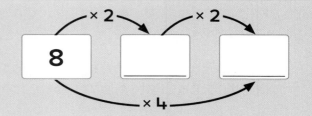

c.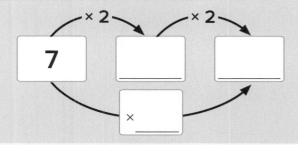

d.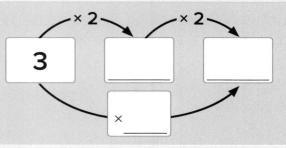

Prepárate para el módulo 4   Completa estas ecuaciones.

a. $6 \times 10 = \boxed{}$

b. $10 \times 2 = \boxed{}$

c. $9 \times 10 = \boxed{}$

d. $10 \times \boxed{} = 40$

e. $\boxed{} \times 3 = 30$

f. $10 \times 8 = \boxed{}$

g. $\boxed{} \times 10 = 10$

h. $10 \times \boxed{} = 50$

i. $\boxed{} \times 7 = 70$

Conoce   Esta receta es para preparar un pastel.

¿Cuántas bananas necesitarías para preparar dos pasteles?

Son 6 bananas porque el doble de 3 es 6.

¿Cómo podrías calcular el número de bananas que se necesitarían para preparar cuatro pasteles?

Pastel de banana y nueces

3	bananas
4	cucharaditas de miel
2	tazas de harina
1	taza de leche
12	nueces grandes

¿Qué operación básica de multiplicación podrías escribir?

Necesitarías 12 bananas para preparar cuatro pasteles porque el doble de 6 es 12.

¿Cuántas nueces grandes necesitarías para preparar cuatro pasteles?

Intensifica

1. Esta receta es para preparar un tazón grande de gelatina de frutas. Escribe las respuestas.

a. ¿Cuántos duraznos en rodajas se necesitan para preparar cuatro tazones de gelatina?

b. Hailey compró 20 fresas. ¿Cuántos tazones de gelatina podría preparar?

c. ¿Cuántas latas de piña se necesitan para preparar cuatro tazones de gelatina?

d. Andre tiene 16 bananas. ¿Cuántos tazones de gelatina podría preparar él?

Gelatina de frutas

1	paquete de gelatina
2	duraznos en rodajas
10	fresas
1	lata de piña
4	bananas

2. Escribe la ecuación que corresponda a cada historia. Escribe un **?** para indicar la cantidad desconocida.

a. Se colocan 6 huevos en cada cartón. Hay 4 cartones. ¿Cuántos huevos hay en total?

_____

b. Se apilan latas en 2 filas iguales. Hay 7 latas en cada fila. ¿Cuántas latas hay en la pila?

_____

c. Hay 9 camionetas estacionadas una detrás de la otra. Cada una mide 4 metros de largo. ¿Cuál es la longitud total de las camionetas?

_____

d. Hay 2 filas y 8 columnas de fotografías en una pared. ¿Cuántas fotografías hay en la pared?

_____

3. Resuelve cada problema. Indica tu razonamiento.

a. Katherine compra 2 camisetas por $16 cada una y 1 par de calcetines por $4. ¿Cuánto gastó ella?

$_____

b. Hay 4 bolsas con juguetes. En cada bolsa hay 15 juguetes rojos y 25 juguetes azules. ¿Cuántos juguetes hay en total?

_____ juguetes

Avanza

Observa este patrón. Escribe con palabras cómo podrías calcular el número total de triángulos azules sin contarlos de uno en uno.

_____

_____

_____

_____

Conoce

¿Qué número indican estos bloques?

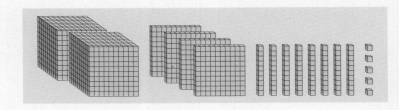

Escribe el número en este expansor.

millares

¿Cómo lees el número?

Suma 10. Escribe el nuevo número.	Resta 100. Escribe el nuevo número.
millares	millares

¿Qué número representan estos bloques?

¿Qué número es 100 unidades mayor?
¿Qué número es 100 unidades menor?

¿Qué número es 10 unidades mayor?
¿Qué número es 10 unidades menor?

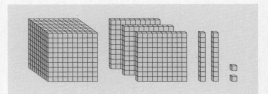

Intensifica

1. Escribe los números que sean 100 unidades mayores y 100 unidades menores.

100 menor						
	2,359	842	1,206	506	5,101	8,995
100 mayor						

2. Escribe los números que sean 10 unidades mayores y 10 unidades menores.

10 menor						
	670	4,375	1,416	805	7,395	9,985
10 mayor						

3. Tu profesor te dará un cubo rotulado con números.
Sigue estos pasos para completar el camino numérico.

   a. Lanza el cubo. Escribe el número en la primera casilla.

   b. Repite el paso anterior en cada casilla del camino.

   c. Luego suma o resta a lo largo del camino. Escribe los números que faltan en los hexágonos.

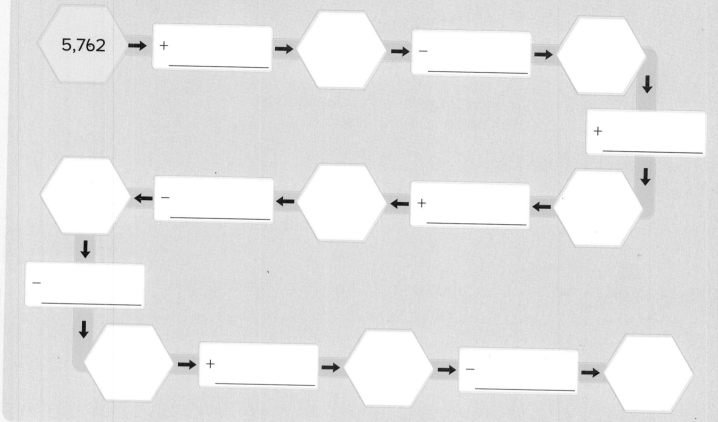

Avanza   El cubo de la pregunta 3 se utilizó en estos caminos numérico.
Escribe los números que faltan.

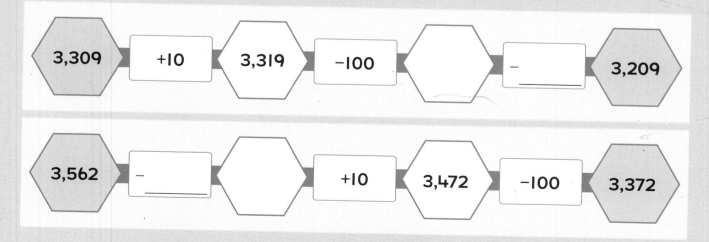

Piensa y resuelve La ballena azul mide 27 m de largo.

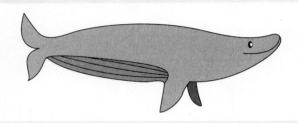

La ballena jorobada es 6 m **más larga** que la ballena orca.
La ballena orca es 20 m **más corta** que la ballena azul.

Escribe los números que faltan.

a.

La ballena jorobada mide _____ m.

b.

La ballena orca mide _____ m.

Palabras en acción   Escribe con palabras cómo resolverías este problema.

Hay seis motocicletas y cierto número de autos en un estacionamiento.
Si hay 48 ruedas en total, ¿cuántos autos hay en el estacionamiento?

_____
_____
_____
_____
_____
_____
_____
_____
_____

Práctica continua

1. Un objeto 3D con todas las superficies planas se llama **poliedro**. Encierra todos los poliedros.

a.

b.
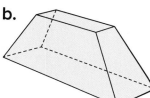

c.
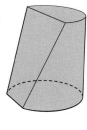

d.
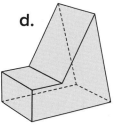

2. Escribe la ecuación que corresponda a cada historia. Escribe un **?** para indicar la cantidad desconocida.

a. La mamá de Samuel compró 3 boletos para la montaña rusa. Los boletos cuestan $4 cada uno. ¿Cuál fue el costa total?

_____

b. Caben 4 personas en cada carro de la montaña rusa. Hay 6 carros. ¿Cuántas personas lleva?

_____

c. Un viaje en la montaña rusa dura 3 minutos. ¿Cuánto durarán 2 vueltas?

_____

d. Cada carro de la montaña rusa mide 2 metros de largo. ¿Cuál es la longitud de 6 carros?

_____

Prepárate para el módulo 4

Completa estas ecuaciones.

a. $5 \times \boxed{} = 20$

b. $\boxed{} \times 3 = 15$

c. $5 \times 8 = \boxed{}$

d. $\boxed{} \times 5 = 5$

e. $5 \times \boxed{} = 25$

f. $5 \times 7 = \boxed{}$

g. $6 \times 5 = \boxed{}$

h. $5 \times 2 = \boxed{}$

i. $9 \times 5 = \boxed{}$

Conoce

Sara midió la distancia alrededor de los troncos de algunos árboles inmensos de un bosque. Esa distancia se llama circunferencia.

Árbol	Circunferencia (cm)
A	311
B	265
C	342
D	270

¿Cuál árbol tenía la circunferencia mayor? ¿Cómo lo sabes?

¿Cuáles símbolos se utilizan para indicar **mayor que** y **menor que**?

¿Qué indica cada enunciado de abajo acerca de cada par de números?

172 > 149   196 < 201   325 < 342   489 > 398

Intensifica

1. Escribe el número que debería ir en la posición a que apunta cada flecha. Piensa cuidadosamente antes de escribir.

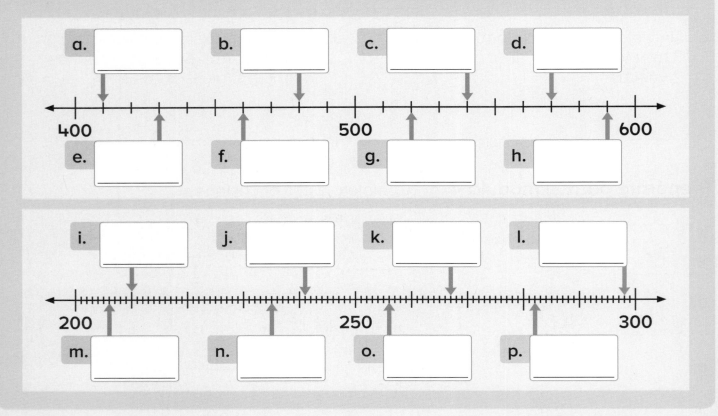

2. Traza una línea para unir cada número a su posición en la recta numérica. Luego escribe **<** o **>** en cada círculo para describir cada par de números.

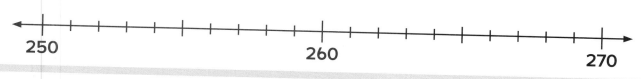

a. 253 ◯ 256   b. 261 ◯ 257   c. 264 ◯ 268

250   260   270

d. 607 ◯ 612   e. 634 ◯ 649   f. 690 ◯ 684

600   650   700

3. Escribe cada set de números en orden de **menor** a **mayor**.

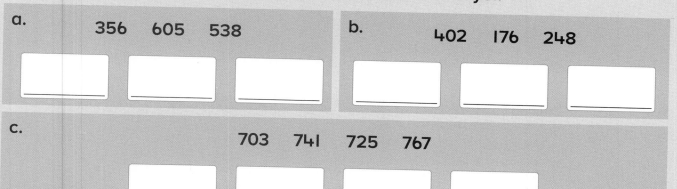

a. 356   605   538

| | | |

b. 402   176   248

| | | |

c. 703   741   725   767

| | | |

Avanza

a. Utiliza solamente estos dígitos para escribir todos los números de tres dígitos posibles.

8   3   1

b. Vuelve a escribir tus números en orden de **mayor** a **menor**.

Conoce

¿Cómo puedes calcular cuál número es mayor?

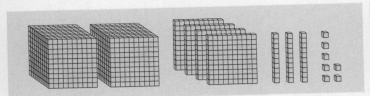 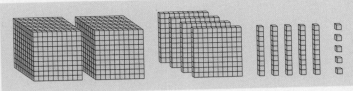

¿Cuál posición observarías primero para marcar los números en esta recta numérica?

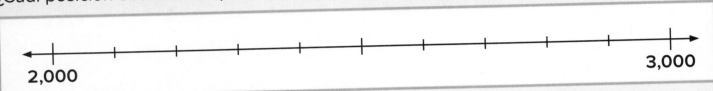

2,000   3,000

Utiliza colores diferentes para indicar la posición de cada número en la recta numérica.

¿Cómo puedes saber cuál número es mayor?

¿Cuáles de estos numerales es mayor? ¿Cómo lo sabes?   **906** ◯ **2,074**

Escribe **<** o **>** para completar la declaración.

Intensifica

Utiliza esta tabla para responder las preguntas 1, 2 y 3 de la página 109.

Alturas de las montañas	
Nombre	**Altura (metros)**
Montaña Cheaha	736
Monte Washburn	3,116
Monte Magazine	839
Pico Borah	3,861
Monte Elbert	4,401
Monte Whitney	4,421
Monte Greylock	1,064
Montaña Eagle	701

© ORIGO Education

1. Escribe la altura de cada montaña. Luego escribe **es menor que** o **es mayor que** para hacer declaraciones verdaderas.

a. Pico Borah

_____ m _____ Monte Greylock

_____ m

b. Montaña Eagle

_____ m _____ Monte Washburn

_____ m

2. Escribe la altura de cada montaña. Luego escribe **< o >** para hacer declaraciones verdaderas.

a. Monte Magazine   Monte Greylock
_____ m ◯ _____ m

b. Monte Magazine   Pico Borah
_____ m ◯ _____ m

c. Monte Whitney   Montaña Cheaha
_____ m ◯ _____ m

d. Pico Borah   Monte Washburn
_____ m ◯ _____ m

e. Monte Elbert   Monte Whitney
_____ m ◯ _____ m

f. Monte Washburn   Monte Elbert
_____ m ◯ _____ m

3. Escribe las alturas de las montañas en orden de **mayor** a **menor**.

mayor

_____ , _____ , _____ , _____

_____ , _____ , _____ , _____

menor

Avanza

Encierra el número mayor en cada par de números.

a. 4,608
914

b. 3,412
3,507

c. 7,018
7,104

d. 209
451

e. 5,200
990

Práctica de cálculo   ¿Cuántos huevos pone un pavo real por año?

★ Completa las ecuaciones. Luego escribe la letra arriba de la diferencia correspondiente en la parte inferior de la página. Algunas letras se repiten.

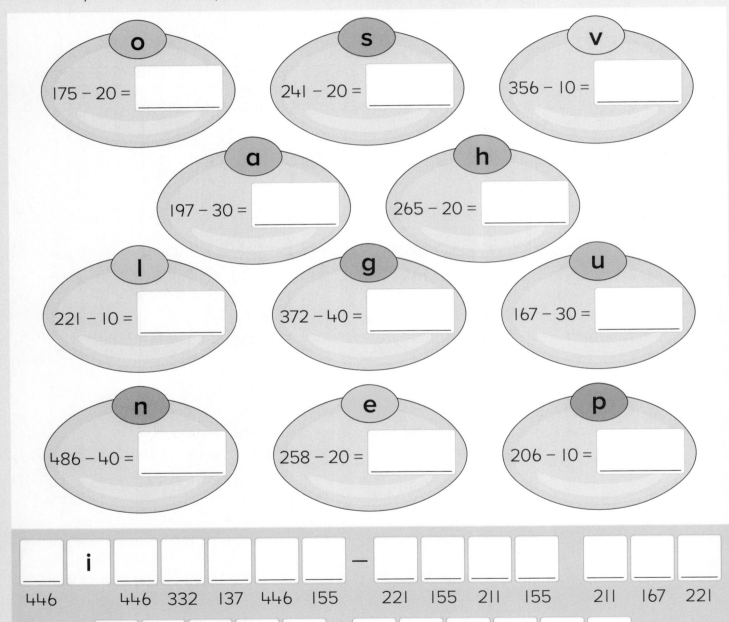

o $175 - 20 =$ _____

s $241 - 20 =$ _____

v $356 - 10 =$ _____

a $197 - 30 =$ _____

h $265 - 20 =$ _____

l $221 - 10 =$ _____

g $372 - 40 =$ _____

u $167 - 30 =$ _____

n $486 - 40 =$ _____

e $258 - 20 =$ _____

p $206 - 10 =$ _____

	i					–							
446		446	332	137	446	155	221	155	211	155	211	167	221

						r				
196	167	346	167	221			238	167	211	238	221

									s
196	155	446	238	446	245	137	238	346	155

1. Traza líneas de un punto a otro para partir cada figura en **tres** rectángulos.

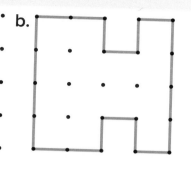
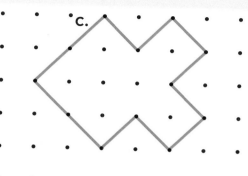

a.

b.

c.

2. a. Escribe los números que sean 10 unidades menores y 10 unidades mayores.

10 menor						
	2,049	1,395	2,601	4,097	3,006	5,991
10 mayor						

b. Escribe los números que sean 100 unidades menores y 100 unidades mayores.

100 menor						
	1,492	2,316	4,709	4,038	1,950	7,099
100 mayor						

Prepárate para el módulo 4

Utiliza la estrategia de duplicar para completar esta tabla.

Número		Doble (×2)	Doble del doble (×4)
a.	5	10	
b.	8		
c.	6		
d.	3		

Conoce

¿A qué número crees que está apuntando la flecha en la recta numérica?

¿Cómo lo decidiste?

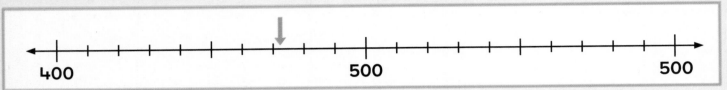

400   500   500

¿Cuál decena es la más cercana al número que elegiste? ¿Cómo lo sabes?

¿Cuál centena es la más cercana al número que elegiste? ¿Cómo lo calculaste?

Pienso que el número es 473. La decena más cercana es 470 porque el salto de 473 a 470 es más corto que a 480.

Redondear un número a la decena más cercana significa encontrar la decena más cercana a ese número.

Entonces 364 redondeado a la decena más cercana es 360 y 367 redondeado a la decena más cercana es 370.

¿Cómo redondearías un número que está a medio camino entre dos decenas? ... ¿entre dos centenas?

Intensifica

1. Observa la recta numérica de abajo.

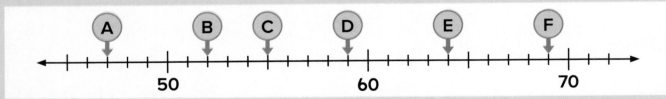

50   60   70

Escribe el número para cada flecha de la recta numérica en la tabla de abajo.

Luego escribe la **decena** más cercana a cada número.

Flecha	A	B	C	D	E	F
Número						
Decena más cercana						

2. Escribe el número para cada flecha de la recta numérica en la tabla de abajo. Luego escribe la decena y la centena más cercana a cada número.

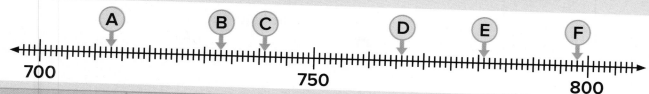

Flecha	A	B	C	D	E	F
Número						
Decena más cercana						
Centena más cercana						

3. Redondea cada número a la **decena** más cercana.

a. 164 _____

b. 593 _____

c. 475 _____

d. 604 _____

e. 218 _____

f. 96 _____

4. Redondea cada número a la **centena** más cercana.

a. 670 _____

b. 413 _____

c. 788 _____

d. 310 _____

e. 251 _____

f. 650 _____

Avanza

a. Imagina que redondeas un número a la decena más cercana y tu respuesta es 480. Escribe 4 número iniciales diferentes.

_____ , _____ , _____ , _____

b. Imagina que redondeas un número a la centena más cercana y tu respuesta es 600. Escribe 4 número iniciales diferentes.

_____ , _____ , _____ , _____

Conoce

¿Cómo redondearías la distancia de Los Ángeles a Sídney a las 10 millas más cercanas?

Distancias de los vuelos

Los Ángeles ⟶ Sídney 7,486 millas

Nueva York ⟶ Londres 3,444 millas

Kay utiliza una recta numérica.

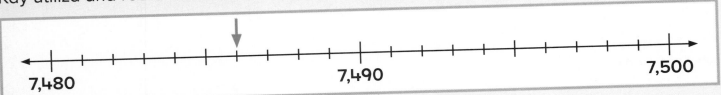

¿Cómo le ayuda la recta numérica en el razonamiento?

Logan razona utilizando el valor posicional. Él sigue estos pasos.

7,4⑧6

Él primero encuentra la posición a la que va a redondear.

7,4⑧6

Luego él observa el siguiente valor posicional menor.

7,4⑧6

Si el dígito en esa posición es mayor o igual a 5 entonces el número se redondea hacia arriba.

¿Cómo podrías utilizar la estrategia de Logan para redondear la distancia de Nueva York a Londres a las **cien** millas más cercanas?

Esta vez el dígito a la derecha de la posición del redondeo es menor que 5. Entonces la distancia se redondea a hacia abajo a 3,400 millas.

Intensifica

1. Indica la posición de la distancia en la recta numérica. Luego redondea la distancia a las **cien** millas más cercanas.

Pittsburgh ⟶ Syracuse 277 millas

⬜ millas.

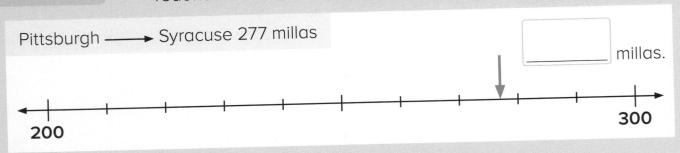

2. Indica la posición de cada número en la recta numérica.
Luego redondea cada número a la **decena** y **centena** más cercana.

a. 1,437

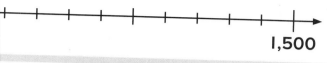

1,400   1,500

Decena más cercana ____

Centena más cercana ____

b. 4,862

4,800   4,900

Decena más cercana ____

Centena más cercana ____

3. Redondea cada número a la **decena** más cercana.

a. 832 ____

b. 389 ____

c. 745 ____

d. 3,672 ____

e. 7,817 ____

f. 5,356 ____

4. Redondea cada número a la **centena** más cercana.

a. 493 ____

b. 238 ____

c. 647 ____

d. 2,809 ____

e. 4,376 ____

f. 9,060 ____

Avanza   Indica la posición de cada número en la recta numérica.
Luego redondea cada número al **millar** más cercano.

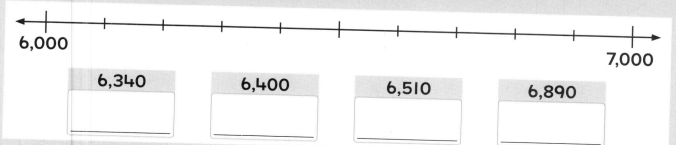

6,000   7,000

6,340 ____   6,400 ____   6,510 ____   6,890 ____

Piensa y resuelve Las figuras iguales pesan lo mismo. Escribe el valor que falta dentro de cada figura.

Palabras en acción

Elige y escribe una palabra de la lista para completar estos enunciados. Sobran algunas palabras. Algunas palabras se repiten.

noventa
cien
dieciséis
redondear
doce
uno
veinte

a. _____ el doble del doble de 4.

b. El doble de seis son _____ .

c. _____ un número a la decena más cercana significa encontrar la decena más cercana a ese número.

d. El doble del doble de tres son _____ .

e. La centena más cercana a 96 es _____ .

f. La decena más cercana a 96 es _____ .

Práctica continua

1. Cooper quiere hacer rombos con grupos de pajitas. Cuenta y mide las pajitas en cada grupo de abajo y colorea el ⬭ junto a la respuesta correcta.

a.

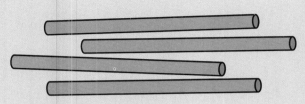

⬭ Puede hacer un rombo.
⬭ No puede hacer un rombo.

b.

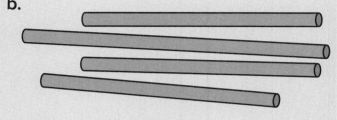

⬭ Puede hacer un rombo.
⬭ No puede hacer un rombo.

2. Escribe **qué tan lejos** está cada número de la centena más cercana. Puedes trazar líneas como ayuda.

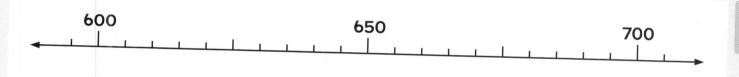

a. 625 ____

b. 640 ____

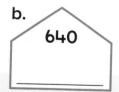

c. 660 ____

d. 675 ____

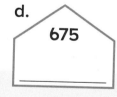

e. 695 ____

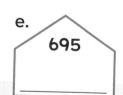

Prepárate para el módulo 4

Colorea una parte de cada tira de rojo. Luego escribe la fracción roja.

a.

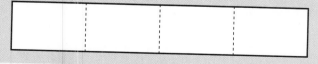

b.

c.

Conoce

Mana y James compraron una pecera cada uno. Ellos también compraron 10 peces dorados para compartirlos.

Dibuja peces dorados para indicar el mismo número de peces en cada pecera.

¿Qué historia podrías escribir para describir la repartición?

> 10 peces dorados repartidos entre 2 peceras son 5 peces en cada pecera.

¿Qué enunciado numérico podrías escribir para describir la repartición?

> Se utiliza el símbolo ÷ para la división. El resultado de la división se llama **cociente**.

Mana y James decidieron poner solo dos peces dorados en cada pecera.

¿Cuántas peceras necesitarán para los 10 peces?

> Ahora conocemos el número en cada pecera pero no conocemos el número de peceras.

¿Qué imagen correspondiente podrías dibujar?

¿Qué historia podrías contar para describir la agrupación?

¿Qué ecuación podrías escribir para describir la agrupación?

Intensifica

1. Lee la historia. Luego escribe el número de elementos en cada grupo igual o el número de grupos iguales. Utiliza cubos como ayuda en tu razonamiento.

a. Hay 18 estudiantes en total.
Hay 9 tiendas.

Hay ☐ estudiantes en cada tienda.

b. Hay 30 pájaros en total.
Hay 10 pájaros en cada jaula.

Hay ☐ jaulas.

2. Escribe los números que faltan. Puedes repartir bloques de decenas y unidades como ayuda en tu razonamiento.

a.
16 repartidos entre

2 son _____ cada uno. $16 \div 2 =$ _____

b.
40 repartidos entre

5 son _____ cada uno. $40 \div 5 =$ _____

c.
60 repartidos entre

10 son _____ cada uno. $60 \div 10 =$ _____

d.
28 repartidos entre

4 son _____ cada uno. $28 \div 4 =$ _____

3. Completa lo siguiente. Puedes repartir bloques de decenas y unidades como ayuda en tu razonamiento.

a.
35 en grupos de 5 son _____ grupos.

$35 \div 5 =$ _____

b.
8 en grupos de 2 son _____ grupos.

$8 \div 2 =$ _____

c.
50 en grupos de 10 son _____ grupos.

$50 \div 10 =$ _____

d.
32 en grupos de 4 son _____ grupos.

$32 \div 4 =$ _____

e.
24 en grupos de 4 son _____ grupos.

$24 \div 4 =$ _____

f.
25 en grupos de 5 son _____ grupos.

$25 \div 5 =$ _____

Avanza

Utiliza estos números para hacer que cada historia sea verdadera. Cada número solo se puede utilizar una vez.

| 10 5 6 35 7 60 |

a.

Había _____ palitos de zanahoria.

_____ amigos los compartieron por igual.

Cada persona tiene _____ palitos.

b.

Hay _____ latas en total.

Cada caja contiene _____ latas.

Hay _____ cajas.

Conoce   ¿Cómo describirías esta imagen de manzanas?

¿Qué operaciones básicas de multiplicación podrías escribir?

 $\boxed{1} \times \boxed{1} = \boxed{2}$ $\boxed{1} \times \boxed{2} = \boxed{3}$

Imagina que las manzanas se empacan en bolsas de 4.
¿Cuántas bolsas podrías llenar?

¿Qué operación básica de división podrías escribir?

 $\boxed{} \div \boxed{} = \boxed{10}$

Imagina que las manzanas se empacan en 5 bolsas.
¿Cuántas manzanas habría en cada bolsa?

¿Qué operación básica de división podrías escribir?

 $\boxed{4} \div \boxed{11} = \boxed{10}$

> Puedes escribir 2 operaciones básicas de multiplicación y 2 operaciones básicas de división para cualquier matriz.
>
> A estas 4 operaciones básicas se les llama **familia de operaciones básicas** porque están relacionadas.

35   7   6.   30

Intensifica   1.   Escribe la familia de operaciones básicas para cada matriz.

a.
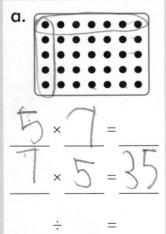

$5 \times 7 =$
$7 \times 5 = 35$

$\underline{} \div \underline{} = \underline{}$

$\underline{} \div \underline{} = \underline{}$

b.

$2 \times \bigcirc =$
$\bigcirc \times 2 = \bigcirc$

$\underline{} \div \underline{} = \underline{}$

$\underline{} \div \underline{} = \underline{}$

c.
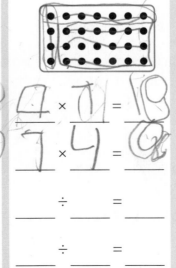

$4 \times 7 = 18$
$7 \times 4 =$

$\underline{} \div \underline{} = \underline{}$

$\underline{} \div \underline{} = \underline{}$

d.
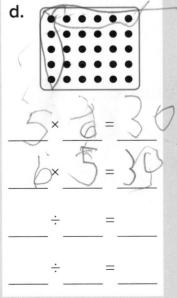

$5 \times 6 = 30$
$6 \times 5 = 30$

$\underline{} \div \underline{} = \underline{}$

$\underline{} \div \underline{} = \underline{}$

2. Colorea la matriz de manera que corresponda a los números dados. Luego completa la familia de operaciones básicas.

a.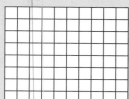

$5 \times 2 =$ _____

___ $\times$ ___ $=$ ___

___ $\div$ ___ $=$ ___

___ $\div$ ___ $=$ ___

b.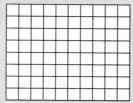

$4 \times 10 =$ _____

___ $\times$ ___ $=$ ___

___ $\div$ ___ $=$ ___

___ $\div$ ___ $=$ ___

c.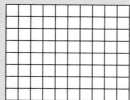

$2 \times 9 =$ _____

___ $\times$ ___ $=$ ___

___ $\div$ ___ $=$ ___

___ $\div$ ___ $=$ ___

d.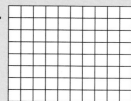

$5 \times 9 =$ _____

___ $\times$ ___ $=$ ___

___ $\div$ ___ $=$ ___

___ $\div$ ___ $=$ ___

3. Completa las ecuaciones. Luego utiliza el mismo color para colorear las operaciones básicas que pertenecen a la misma familia.

$12 \div 2 =$ [____]

$3 \times$ [____] $= 30$

$12 \div$ [____] $= 2$

[____] $= 5 \times 4$

[____] $= 10 \times 3$

$20 \div 5 =$ [____]

[____] $= 6 \times 2$

$7 \times 5 =$ [____]

$30 \div 3 =$ [____]

[____] $= 35 \div 5$

$20 \div 4 =$ [____]

[____] $= 2 \times 6$

Avanza

Colorea la matriz de manera que corresponda a cada operación básica. Luego completa las ecuaciones.

a.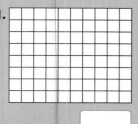

$30 \div 6 =$ [____]

b.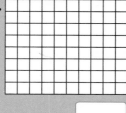

$45 \div 5 =$ [____]

c.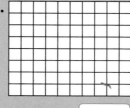

$24 \div 4 =$ [____]

d.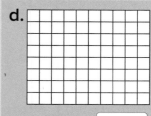

$16 \div 2 =$ [____]

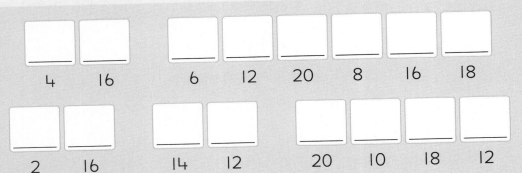

4.2 Reforzando conceptos y destrezas

Práctica de cálculo   ¿Qué le dijo la tierra al terremoto?

★ Escribe el producto y la operación básica conmutativa de cada multiplicación. Luego escribe cada letra arriba del producto correspondiente en las casillas de la parte inferior de la página. Algunas letras se repiten.

$4 \times 2 = \underline{} = \underline{} \times \underline{}$	**t**	$2 \times 6 = \underline{} = \underline{} \times \underline{}$	**a**
$2 \times 8 = \underline{} = \underline{} \times \underline{}$	**e**	$3 \times 2 = \underline{} = \underline{} \times \underline{}$	**p**
$10 \times 2 = \underline{} = \underline{} \times \underline{}$	**r**	$7 \times 2 = \underline{} = \underline{} \times \underline{}$	**l**
$2 \times 9 = \underline{} = \underline{} \times \underline{}$	**s**	$2 \times 5 = \underline{} = \underline{} \times \underline{}$	**i**
$1 \times 2 = \underline{} = \underline{} \times \underline{}$	**d**	$2 \times 2 = \underline{} = \underline{} \times \underline{}$	**m**

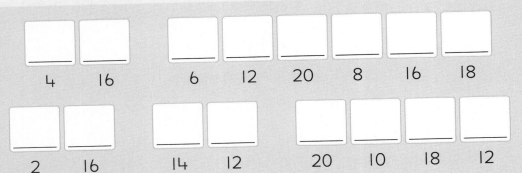

Casillas de respuesta:

```
□ □     □ □ □ □ □
4  16   6 12 20 8 16 18

□ □     □ □     □ □ □ □
2  16   14 12   20 10 18 12
```

Completa estas operaciones básicas tan rápido como puedas.

$5 \times 7 = \underline{}$ $5 \times 5 = \underline{}$ $5 \times 3 = \underline{}$

$8 \times 5 = \underline{}$ $5 \times 4 = \underline{}$ $5 \times 1 = \underline{}$

$6 \times 5 = \underline{}$ $2 \times 5 = \underline{}$ $9 \times 5 = \underline{}$

1. Escribe el número de centenas, decenas y unidades. Escribe una ecuación para indicar el total. Puedes utilizar bloques como ayuda.

a.

$$325 + 68$$

Hay ⬜ centenas.

Hay ⬜ decenas.

Hay ⬜ unidades.

___ + ___ + ___ = ___

b.

$$473 + 95$$

Hay ⬜ centenas.

Hay ⬜ decenas.

Hay ⬜ unidades.

___ + ___ + ___ = ___

2. Completa lo siguiente. Puedes utilizar bloques de decenas y unidades como ayuda.

a.

28 en grupos de 4 son ⬜ grupos

$$28 ÷ 4 = \boxed{}$$

b.

16 en grupos de 2 son ⬜ grupos

$$16 ÷ 2 = \boxed{}$$

c.

30 en grupos de 5 son ⬜ grupos

$$30 ÷ 5 = \boxed{}$$

d.

20 en grupos de 4 son ⬜ grupos

$$20 ÷ 4 = \boxed{}$$

Prepárate para el módulo 5

Dibuja más puntos para indicar el doble del doble. Luego completa la ecuación.

a.

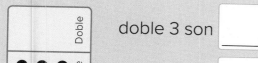

doble 3 son ⬜

doble 6 son ⬜

$$4 × 3 = \boxed{} = 3 × 4$$

b.

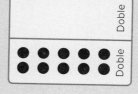

doble 5 son ⬜

doble 10 son ⬜

$$\boxed{} × 5 = \boxed{} = 5 × \boxed{}$$

Conoce

Esta es una lámina de 40 adhesivos.

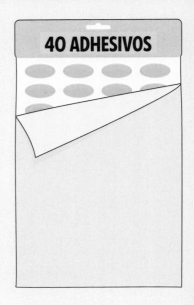

40 ADHESIVOS

¿Cómo podrías calcular el número de filas?

¿Qué ecuación podrías escribir?

Hay 40 adhesivos en total. Hay 4 adhesivos en cada fila. 40 ÷ 4 = ?

Hay 40 adhesivos en total. Hay 4 adhesivos en cada fila. 4 × ? = 40

Para resolver una operación básica de división, generalmente es más fácil pensar en la operación básica de multiplicación relacionada.

observa → | 40 | ÷ | 4 | = | ? |

piensa → | 4 | × | ? | = | 40 |

¿Cuántas filas hay?

¿Qué operación básica de multiplicación podrías utilizar para calcular 50 ÷ 5?

Intensifica

I. Completa la operación básica de multiplicación que utilizarías para calcular la operación básica de división. Luego completa la operación básica de división.

a.

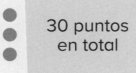

30 puntos en total

3 × ☐ = 30   30 ÷ 3 = ☐

b.

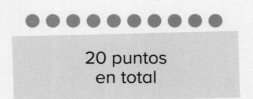

20 puntos en total

☐ × 10 = 20   20 ÷ 10 = ☐

2. Completa estas operaciones básicas.

a.

60 puntos en total

$6 \times$ _____ $= 60$ $60 \div 6 =$ _____

b.

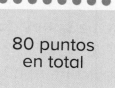

80 puntos en total

_____ $\times 8 = 80$ $80 \div 8 =$ _____

c.

70 puntos en total

$7 \times$ _____ $= 70$ $70 \div 7 =$ _____

d.

90 puntos en total

_____ $\times 10 = 90$ $90 \div 10 =$ _____

3. Escribe la operación básica de multiplicación y la de división que corresponda a cada problema. Utiliza un **?** para indicar la cantidad desconocida.

a. En una canoa caben 4 estudiantes. Hay 40 estudiantes. ¿Cuántas canoas se necesitan?

_____ $\times$ _____ $=$ _____

_____ $\div$ _____ $=$ _____

b. Se colocan 80 DVDs en 10 pilas iguales. ¿Cuántos DVDs hay en cada pila?

_____ $\times$ _____ $=$ _____

_____ $\div$ _____ $=$ _____

c. Se unen 50 cubos interconectables en pilas de 10. ¿Cuántas pilas hay?

_____ $\times$ _____ $=$ _____

_____ $\div$ _____ $=$ _____

Avanza   ¿Cuántos billetes de $10 podrías intercambiar por todos estos billetes?

_____

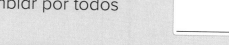

Conoce ¿Qué sabes acerca de esta matriz?

¿Cómo podrías calcular el número de puntos en cada fila?

15 puntos en total

5 filas de cierto número de elementos es igual a 15.

Escribe los dos números que conoces en cada una de estas ecuaciones.

$$\boxed{} \times \boxed{} = \boxed{} \qquad \boxed{} \div \boxed{} = \boxed{}$$

Ahora escribe los números que faltan.

¿Qué sabes acerca de esta matriz?
¿Cómo podrías calcular el número de filas iguales?

30 puntos en total

Escribe los dos números que conoces en cada operación básica, luego escribe los números que faltan.

$$\boxed{} \times \boxed{} = \boxed{} \qquad \boxed{} \div \boxed{} = \boxed{}$$

Intensifica

I. Completa la operación básica de multiplicación que utilizarías para calcular la operación básica de división. Luego completa la división.

a.

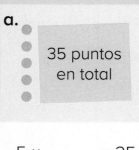

35 puntos en total

$5 \times \underline{} = 35$

$35 \div 5 = \underline{}$

b.

20 puntos en total

$\underline{} \times 4 = 20$

$20 \div 4 = \underline{}$

c.

20 puntos en total

$5 \times \underline{} = 20$

$20 \div 5 = \underline{}$

d.

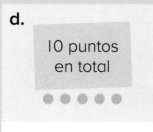

10 puntos en total

$\underline{} \times 5 = 10$

$10 \div 5 = \underline{}$

2. Completa estas operaciones básicas.

a.

25 puntos en total

_____ × 5 = 25

25 ÷ 5 = _____

b.

30 puntos en total

6 × _____ = 30

30 ÷ 6 = _____

c.

25 puntos en total

5 × _____ = 25

25 ÷ 5 = _____

d.

40 puntos en total

_____ × 5 = 40

40 ÷ 5 = _____

e.

15 puntos en total

_____ × _____ = 15

15 ÷ _____ = _____

f.

45 puntos en total

_____ × _____ = 45

45 ÷ _____ = _____

g.

35 puntos en total

_____ × _____ = 35

35 ÷ _____ = _____

h.

50 puntos en total

_____ × _____ = 50

50 ÷ _____ = _____

3. Escribe la operación básica de multiplicación y la operación básica de división que podrías utilizar para resolver cada problema. Utiliza un **?** para indicar la cantidad desconocida.

a. Una cuerda mide 15 metros de largo. Ésta se cortó en 3 trozos iguales. ¿Cuánto mide cada trozo?

_____ × _____ = _____

_____ ÷ _____ = _____

b. Gemma intercambió billetes de $5 por uno de $20. ¿Cuántos billetes de $5 intercambió?

_____ × _____ = _____

_____ ÷ _____ = _____

c. Se imprimen 30 adhesivos en 6 columnas iguales. ¿Cuántas filas hay?

_____ × _____ = _____

_____ ÷ _____ = _____

Avanza   ¿Cuántos billetes de $5 podrías intercambiar por todos estos billetes?

_____

Piensa y resuelve Lee las instrucciones primero.

a. Utiliza una regla para trazar una línea que parta la figura en dos partes de la **misma** forma y el **mismo** tamaño.

La suma de los números en cada parte debe ser la misma.

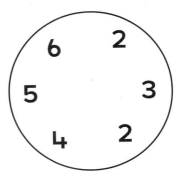

b. Utiliza una regla para trazar dos líneas que partan la figura en cuatro partes de la **misma** forma y el **mismo** tamaño.

La suma de los números en cada parte debe ser la misma.

Palabras en acción

a. Escribe la familia de operaciones básicas de multiplicación que tengan los numerales 5 y 6.

b. Luego escribe acerca de cómo se relacionan la multiplicación y la división.

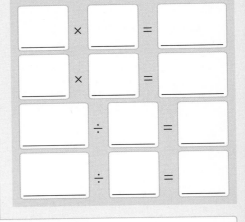

Práctica continua

1. Calcula cada suma.

a.

C	D	U
1	6	7
+ 1	1	6
1	3	
7	0	
2	0	0

b.

C	D	U
4	8	4
+ 3	7	1

c.

C	D	U
3	9	2
+ 1	4	7

2. Escribe la familia de operaciones básicas para cada matriz.

a.

____ × ____ = ____

____ × ____ = ____

____ ÷ ____ = ____

____ ÷ ____ = ____

b.

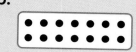

____ × ____ = ____

____ × ____ = ____

____ ÷ ____ = ____

____ ÷ ____ = ____

c.

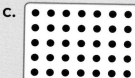

____ × ____ = ____

____ × ____ = ____

____ ÷ ____ = ____

____ ÷ ____ = ____

d.

____ × ____ = ____

____ × ____ = ____

____ ÷ ____ = ____

____ ÷ ____ = ____

Prepárate para el módulo 5

Escribe los números que faltan.

a.

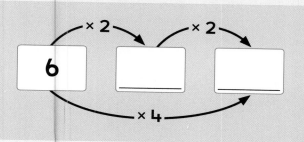

b.

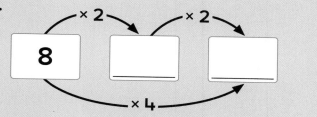

Conoce

¿Cómo podrías calcular el número total de puntos en esta matriz?

¿Qué operaciones básicas de multiplicación podrías escribir?

Hay 6 filas de 10.
$6 \times 10 = 60$ o $10 \times 6 = 60$

¿Cuáles son las operaciones básicas de división relacionadas que completan la familia de operaciones básicas?

Escribe las operaciones básicas de multiplicación y división que correspondan a esta matriz.

| ☐ × ☐ = ☐ | ☐ × ☐ = ☐ |
| ☐ ÷ ☐ = ☐ | ☐ ÷ ☐ = ☐ |

Intensifica

I. Utiliza lo que puedas ver como ayuda para completar la familia de operaciones básicas que corresponda a cada matriz.

a.

_____ × _____ = _____

_____ × _____ = _____

_____ ÷ _____ = _____

_____ ÷ _____ = _____

b.

_____ × _____ = _____

_____ × _____ = _____

_____ ÷ _____ = _____

_____ ÷ _____ = _____

c.

_____ × _____ = _____

_____ × _____ = _____

_____ ÷ _____ = _____

_____ ÷ _____ = _____

2. Escribe los números que faltan para completar cada familia de operaciones básicas.

a.

$3 \times 5 = 15$

$5 \times 3 = \underline{}$

$15 \div 3 = 5$

$15 \div \underline{} = 3$

b.

$\underline{} \times 10 = 50$

$10 \times 5 = 50$

$50 \div \underline{} = 10$

$50 \div 10 = \underline{}$

3. Escribe el número que falta para completar cada operación básica.

a. $\underline{} \div 10 = 5$

b. $40 \div \underline{} = 4$

c. $35 \div 5 = \underline{}$

d. $2 = \underline{} \div 5$

e. $\underline{} \div 9 = 10$

f. $30 \div \underline{} = 6$

4. Escribe un problema verbal que corresponda a la ecuación. $\boxed{45 \div 9 = ?}$

Avanza   Escribe la ecuación que utilizarías para resolver cada problema.

1. a. Ricardo gana $3 cada semana por hacer tareas. ¿Cuánto dinero ganará en 5 semanas? _____

b. ¿Cuántas semanas le tomará ganar $30? _____

2. a. Jessica lee 5 libros cada semana. ¿Cuántas semanas le tomará leer 25 libros? _____

b. ¿Cuántos libros leerá en 10 semanas? _____

Conoce

Se reparten 16 bloques equitativamente entre dos amigos. ¿Cuántos bloques hay en cada repartición?

Dividir entre 2 es lo mismo que dividir a la mitad. La mitad de 16 es 8.

Imagina que la misma bolsa de bloques se reparte equitativamente entre cuatro amigos.

¿Cómo podrías calcular el número de bloques en cada repartición?

Caleb utilizó la estrategia de dividir a la mitad.

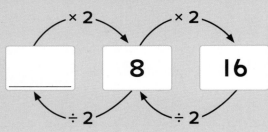

Mary pensó en la multiplicación relacionada.

$\boxed{} \times 4 = 16$

¿Cuántos bloques hay en cada repartición? Escribe el número que falta.

¿Cuál estrategia prefieres? ¿Por qué?

¿Cómo podrías utilizar cada estrategia para repartir 24 bloques equitativamente entre cuatro amigos?

Intensifica

I. Completa las ecuaciones para indicar el número de bloques en cada repartición. Utiliza cubos como ayuda en tu razonamiento.

a.

$20 \div 2 = \boxed{}$

$20 \div 4 = \boxed{}$

20 bloques

b.

$12 \div 2 = \boxed{}$

$12 \div 4 = \boxed{}$

12 bloques

2. Completa la operación básica de multiplicación que utilizarías para calcular la de división. Luego completa la operación básica de división.

a.
10 puntos en total

$5 \times \underline{\quad} = 10$

$10 \div \underline{\quad} = 5$

b.
12 puntos en total

$2 \times \underline{\quad} = 12$

$12 \div 2 = \underline{\quad}$

c.
40 puntos en total

$4 \times \underline{\quad} = 40$

$40 \div \underline{\quad} = 4$

d.
24 puntos en total

$\underline{\quad} \times 4 = 24$

$24 \div \underline{\quad} = 4$

e.
8 puntos en total

$\underline{\quad} \times 4 = 8$

$8 \div \underline{\quad} = \underline{\quad}$

f.
36 puntos en total

$\underline{\quad} \times 9 = 36$

$36 \div \underline{\quad} = \underline{\quad}$

g.
18 puntos en total

$2 \times \underline{\quad} = 18$

$18 \div \underline{\quad} = \underline{\quad}$

h.
14 puntos en total

$\underline{\quad} \times 2 = 14$

$14 \div \underline{\quad} = \underline{\quad}$

3. Escribe la operación básica de multiplicación y de división que corresponda a cada problema. Utiliza un **?** para indicar la cantidad desconocida.

a. Los estudiantes están de pie en dos filas iguales.

Si hay 14 estudiantes en total, ¿cuántos hay en cada fila?

$\underline{\quad} \times \underline{\quad} = \underline{\quad}$

$\underline{\quad} \div \underline{\quad} = \underline{\quad}$

b. 8 amigos se reparten equitativamente 32 piezas de pollo.

¿Cuántas piezas hay en cada repartición?

$\underline{\quad} \times \underline{\quad} = \underline{\quad}$

$\underline{\quad} \div \underline{\quad} = \underline{\quad}$

Avanza

La clase del profesor Reed está planeando una excursión. Hay 22 estudiantes en la clase. ¿Cuántos autos se necesitarán si solo caben 4 pasajeros en cada auto?

$\underline{\quad}$ autos

Práctica de cálculo

⭐ Calcula los productos. Utiliza un lápiz verde para colorear los productos que tengan un 0 en la posición de las unidades.

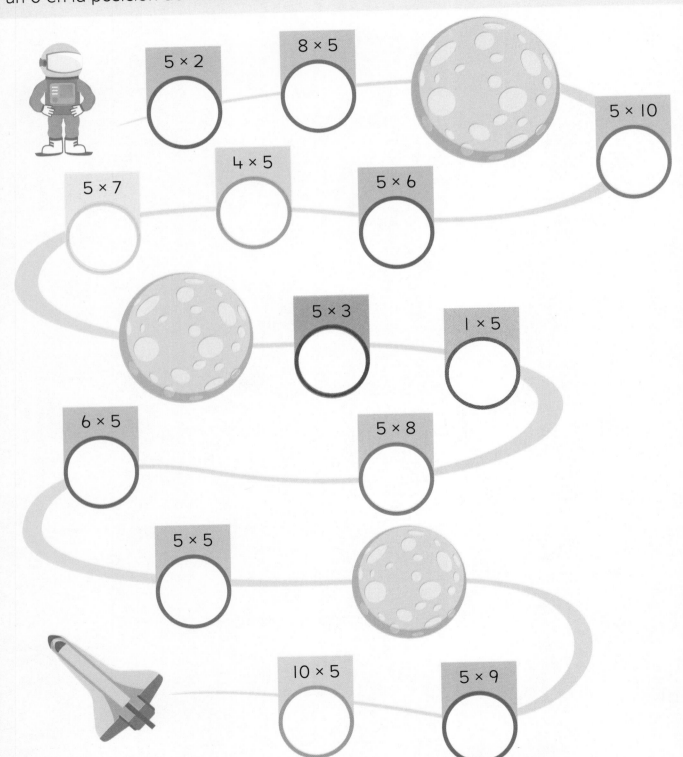

Práctica continua

1. Resuelve cada problema. Indica tu razonamiento.

a. El club de la naturaleza plantó 395 árboles de abedul y 274 pinos. ¿Cuántos árboles plantaron en total?

 árboles

b. Noah coleccionó 89 latas. Pamela coleccionó 155 latas más que Noah. ¿Cuántas latas tienen en total?

 latas

2. Escribe los números que faltan para completar cada familia de operaciones básicas.

a.

$6 \times 5 = 30$

$5 \times 6 = \boxed{}$

$\boxed{} \div 6 = 5$

$30 \div \boxed{} = 6$

b.

$\boxed{} \times 10 = 40$

$10 \times 4 = \boxed{}$

$40 \div \boxed{} = 10$

$40 \div 10 = \boxed{}$

Prepárate para el módulo 5

Dibuja saltos para indicar cómo restas. Luego escribe la diferencia.

a.

$164 - 7 = \boxed{}$

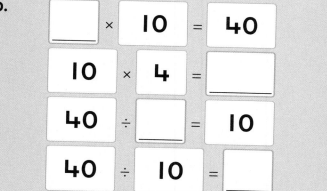

b.

$132 - 6 = \boxed{}$

© ORIGO Education

Conoce

Tengo 20 plántulas para plantar en mi huerta de vegetales. ¿Cómo puedo ordenarlas para plantarlas en filas iguales?

¿Cómo podrías calcular las diferentes maneras de ordenarlas?

Dibuja una manera de ordenarlas. Escribe dos operaciones básicas de multiplicación para describir tu matriz.

Escribe dos operaciones básicas de división para describir tu imagen.

Tengo 32 plántulas para plantar en mi jardín de flores. ¿Cómo puedo ordenarlas en filas iguales?

Dibuja dos maneras **diferentes** en las que se podrían ordenar. Luego escribe las operaciónes básicas de multiplicación y de división relacionadas para cada orden.

1. Colorea una matriz que corresponda a los números dados. Luego completa la familia de operaciones básicas correspondiente.

a.
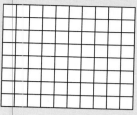

$$4 \times 3 = \underline{\quad}$$

$$\underline{\quad} \times \underline{\quad} = \underline{\quad}$$

$$\underline{\quad} \div \underline{\quad} = \underline{\quad}$$

$$\underline{\quad} \div \underline{\quad} = \underline{\quad}$$

b.
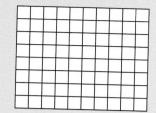

$$2 \times 9 = \underline{\quad}$$

$$\underline{\quad} \times \underline{\quad} = \underline{\quad}$$

$$\underline{\quad} \div \underline{\quad} = \underline{\quad}$$

$$\underline{\quad} \div \underline{\quad} = \underline{\quad}$$

c.
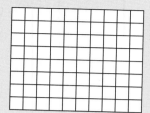

$$2 \times 7 = \underline{\quad}$$

$$\underline{\quad} \times \underline{\quad} = \underline{\quad}$$

$$\underline{\quad} \div \underline{\quad} = \underline{\quad}$$

$$\underline{\quad} \div \underline{\quad} = \underline{\quad}$$

2. Completa cada ecuación. Luego utiliza el mismo color para indicar las operaciones numéricas básicas que pertenecen a la misma familia.

$16 \div \underline{\quad} = 2$	$16 \div 4 = \underline{\quad}$	$8 \times 2 = \underline{\quad}$	$\underline{\quad} = 24 \div 6$
$6 \times 4 = \underline{\quad}$	$3 \times \underline{\quad} = 12$	$\underline{\quad} = 4 \times 4$	$2 \times 8 = \underline{\quad}$
$\underline{\quad} = 12 \div 3$	$24 = 4 \times \underline{\quad}$	$12 \div 4 = \underline{\quad}$	$24 \div \underline{\quad} = 4$

Escribe el número que falta para completar cada operación básica.

$$20 \div 5 = \underline{\quad}$$

$$\underline{\quad} \div 3 = \underline{\quad}$$

$$\underline{\quad} + 8 = \underline{\quad}$$

$$\underline{\quad} \times 7 = \underline{\quad}$$

Conoce

Estas son tres maneras diferentes de doblar un cuadrado en 4 partes iguales. ¿Qué notas?

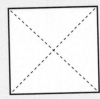 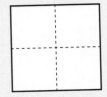 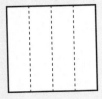

Colorea una parte de cada cuadrado grande. ¿Qué fracción de cada cuadrado coloreaste?

Todos los cuadrados grandes son del mismo tamaño y figura, pero están partidos de maneras diferentes.

¿Cómo podrías comprobar que la fracción sombreada de cada cuadrado cubre la misma cantidad de papel?

Cada cuadrado grande se llama **un entero**.

Intensifica

1. Cada cuadrado grande es un entero. Colorea una parte de cada uno. Luego escribe cuánto está coloreado y cuántas partes hay en total.

a.

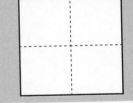

_____ parte de

_____ partes iguales

b.

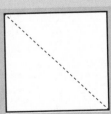

_____ parte de

_____ partes iguales

c.

_____ parte de

_____ partes iguales

d.

_____ parte de

_____ partes iguales

e.

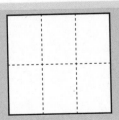

_____ parte de

_____ partes iguales

f.

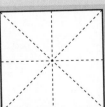

_____ parte de

_____ partes iguales

© ORIGO Education

2. Cada tira es un entero. Colorea una parte de cada una.
Luego escribe cuánto está coloreado y cuántas partes hay en total.

a.

_____ parte de

_____ partes iguales

b.

_____ parte de

_____ partes iguales

c.

_____ parte de

_____ partes iguales

3. Cada figura de abajo es un entero. Colorea una parte de cada figura. Escribe
el número de partes y luego completa el nombre de la fracción.

a.

_____ parte de _____ partes iguales

_____ está coloreado

b.

_____ parte de _____ partes iguales

_____ está coloreado

c.

_____ parte de _____ partes iguales

_____ está coloreado

Avanza   Ryan, Abey y Max recortaron un trozo de papel y cada uno tomó
un cuarto del papel.

¿Se utilizó todo el papel? ¿Cómo lo sabes?

Piensa y resuelve

Janice compró 2 artículos diferentes. Ella gastó $8.
Víctor compró 3 artículos diferentes. Él gastó $12.

a. Hay 2 artículos que ambos compraron. ¿Cuáles son?

b. ¿Cuál artículo no compró ninguno de ellos?

Palabras en acción

Escribe acerca de dos estrategias diferentes que podrías utilizar para resolver esta ecuación. Asegúrate de incluir la respuesta.

$36 \div 4 = ?$

© ORIGO Education

1. Escribe la diferencia. Dibuja saltos en la recta numérica para indicar tu razonamiento.

a.

$652 - 41 =$ _____

⟵──────────────────────────────────⟶

b.

$375 - 52 =$ _____

⟵──────────────────────────────────⟶

2. Escribe la operación básica de multiplicación y de división que corresponda a cada problema. Utiliza un **?** para indicar la cantidad desconocida.

a. Cada carro de la montaña rusa lleva 4 personas. Hay 20 personas esperando en fila. ¿Cuántos carros se necesitarán?

_____ × _____ = _____

_____ ÷ _____ = _____

b. Se reparten 40 cajas de naranjas equitativamente entre 5 tiendas. ¿Cuántas cajas recibirá cada tienda?

_____ × _____ = _____

_____ ÷ _____ = _____

Utiliza la estrategia de contar hacia atrás para calcular la diferencia entre la cantidad en la billetera y el precio. Dibuja saltos en la recta numérica para indicar tu razonamiento.

a.

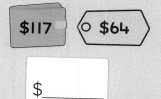

$ _____

⟵──────────────────────────────────⟶

b.

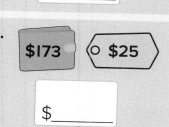

$ _____

⟵──────────────────────────────────⟶

Conoce

Layla está cubriendo un rectángulo con bloques de patrón anaranjados.

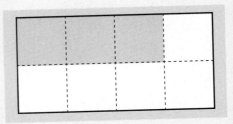

¿Qué fracción del rectángulo ha cubierto ella hasta el momento?

Escribe un numeral para indicar el número de partes que están cubiertas y un numeral para indicar el número de partes iguales en el entero.

El numeral que está arriba se llama **numerador**.

El numeral que está debajo se llama **denominador**.

Los dos numerales juntos forman una **fracción común**.

partes cubiertas
___
partes iguales

En esta imagen, el numerador dice cuántos bloques se han utilizado. El denominador dice cuántos bloques cubrirán el rectángulo. Juntos indican que $\frac{3}{8}$ del rectángulo están cubiertos.

Intensifica

I. Estas tarjetas de fracciones se han ordenado en filas. Completa las tarjetas según corresponda.

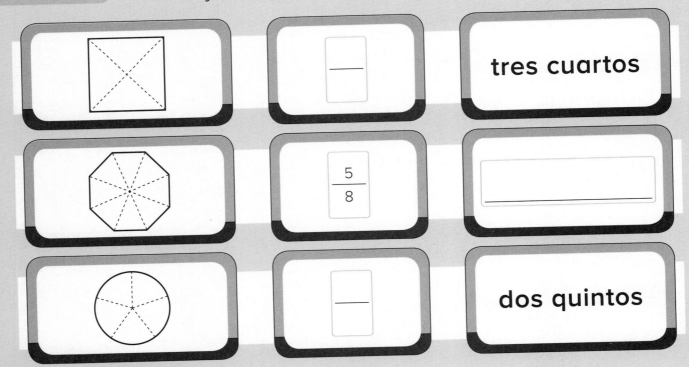

2. Cada rectángulo grande es un entero. Colorea la fracción de cada rectángulo. Luego escribe la fracción de cada rectángulo que **no** está coloreada.

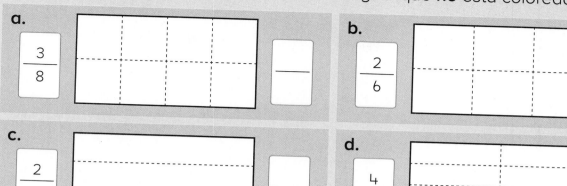

a.
$\frac{3}{8}$

b.
$\frac{2}{6}$

c.
$\frac{2}{3}$

d.
$\frac{4}{8}$

3. Cada tira es un entero. Escribe la fracción que está coloreada. Luego escribe con palabras la fracción que no está coloreada.

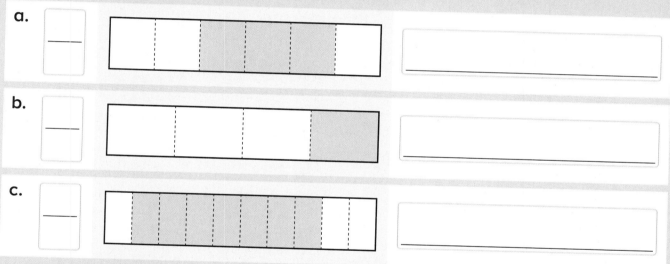

a.

b.

c.

Avanza   Estas tarjetas de fracciones se ordenaron en un grupo. Colorea la tarjeta que no pertenece al grupo.

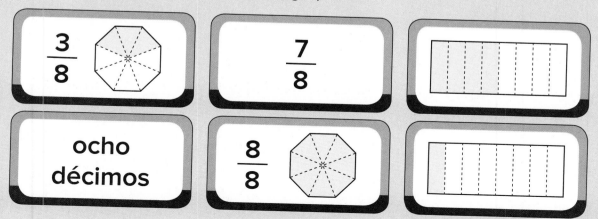

$\frac{3}{8}$

$\frac{7}{8}$

ocho décimos

$\frac{8}{8}$

Conoce   Las fracciones también se pueden indicar en una recta numérica.

En esta recta numérica la distancia entre el 0 y el 1 representa un entero.

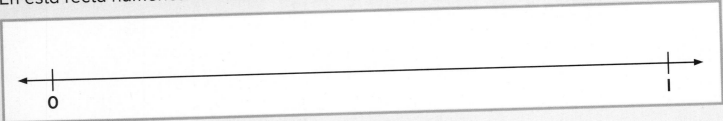

¿Cómo puedes encontrar un medio en esta recta numérica?

Dibuja una ⌒→ desde 0 para indicar un medio.

El punto que está a medio camino entre 0 y 1 representa un medio.

¿Qué fracción indica la flecha en la recta numérica de abajo? ¿Cómo lo sabes?

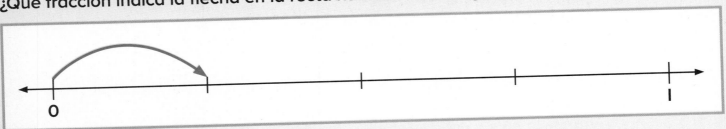

Intensifica   1.   La distancia entre 0 y 1 es un entero.
Escribe la fracción que indica cada flecha.

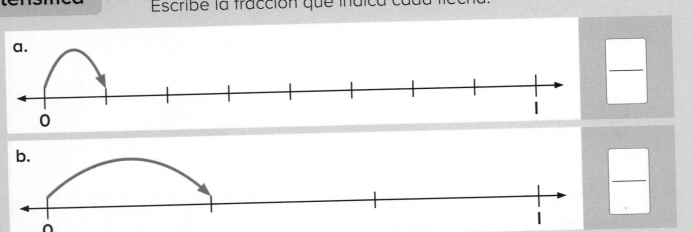

a.

b.

2. Parte cada recta numérica en más partes iguales. Luego dibuja una flecha para indicar la fracción.

a.

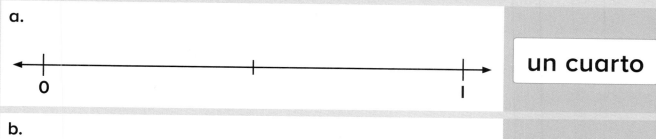

un cuarto

b.

un sexto

c.

un octavo

3. Utiliza las rectas numéricas en estas páginas. Colorea el ⬭ junto a la fracción más corta.

a.
⬭ un medio

o

⬭ un cuarto

b.
⬭ un tercio

o

⬭ un sexto

c.
⬭ un octavo

o

⬭ un sexto

d.
⬭ un tercio

o

⬭ un medio

e.
⬭ un sexto

o

⬭ un cuarto

f.
⬭ un medio

o

⬭ un sexto

Avanza

Dos amigos compran una cuerda cada uno. Las cuerdas son de la misma longitud. Cody corta su cuerda en cuartos. Nancy corta su cuerda en tercios.

¿Quién cortó la cuerda en más trozos? _____

¿Quién cortó la cuerda en trozos más largos? _____

Práctica de cálculo

★ Completa las ecuaciones. Luego escribe cada letra arriba del producto correspondiente en las casillas. Algunas letras se repiten.

$5 \times 5 = $ ____ **l**

$2 \times 2 = $ ____ **m**

$2 \times 9 = $ ____ **t**

$8 \times 5 = $ ____ **n**

$3 \times 2 = $ ____ **a**

$8 \times 2 = $ ____ **e**

$7 \times 5 = $ ____ **q**

$5 \times 9 = $ ____ **r**

$2 \times 0 = $ ____ **i**

$1 \times 5 = $ ____ **s**

$5 \times 2 = $ ____ **u**

$4 \times 5 = $ ____ **o**

$6 \times 5 = $ ____ **h**

$2 \times 6 = $ ____ **b**

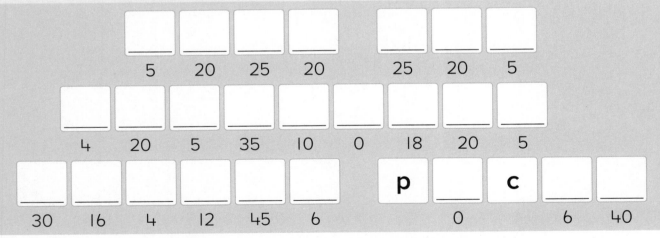

5	20	25	20		25	20	5

4	20	5	35	10	0	18	20	5

						p		**c**		
30	16	4	12	45	6		0		6	40

Completa estas operaciones básicas tan rápido como puedas.

$3 \times 4 = $ ____

$4 \times 1 = $ ____

$4 \times 6 = $ ____

$4 \times 7 = $ ____

$9 \times 4 = $ ____

$4 \times 8 = $ ____

$4 \times 5 = $ ____

$2 \times 4 = $ ____

$4 \times 4 = $ ____

1. Separa cada número en centenas, decenas y unidades. Hay más de una manera de hacerlo.

a.

375
es igual a

_____ centenas, _____ decenas y _____ unidades

b.

215
es igual a

_____ centenas, _____ decenas y _____ unidades

c.

836
es igual a

_____ centenas, _____ decenas y _____ unidades

d.

409
es igual a

_____ centenas, _____ decenas y _____ unidades

2. Cada rectángulo grande es un entero. Colorea la fracción de cada rectángulo. Luego escribe la fracción de cada rectángulo que **no** está coloreada.

a.

$\dfrac{1}{4}$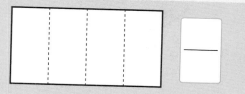

____

b.

$\dfrac{4}{6}$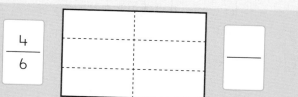

____

c.

$\dfrac{2}{5}$

____

d.

$\dfrac{3}{8}$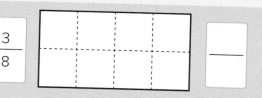

____

Prepárate para el módulo 5

Dibuja saltos para indicar cómo podrías contar hacia delante para encontrar la diferencia. Luego escribe la diferencia.

a.

$56 - 37 = \boxed{}$

b.

$61 - 48 = \boxed{}$

Conoce Observa esta recta numérica.

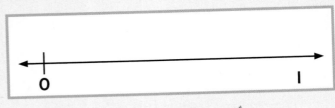

La distancia de 0 a 1 es un entero.

Indica cómo marcarías $\frac{1}{6}$ en la recta numérica.

Yo partiría la recta numérica de 0 a 1 en 6 partes iguales. La distancia de 0 a la primera marca será $\frac{1}{6}$ de la distancia total de 0 a 1.

Charlie va a hacer un pastel.

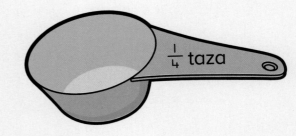

$\frac{1}{4}$ taza

Él necesita $\frac{3}{4}$ de taza de azúcar pero solo tiene una taza de medida de $\frac{1}{4}$.

¿Qué puede hacer él para medir la cantidad correcta de azúcar?

¿Qué indica esta recta numérica?

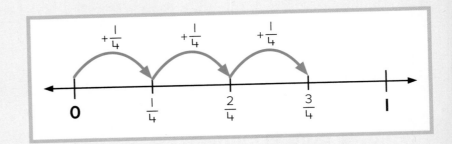

Intensifica

1. Observa cómo se ha partido cada recta numérica. La distancia de 0 a 1 es un entero. Escribe la fracción a la que apunta cada flecha.

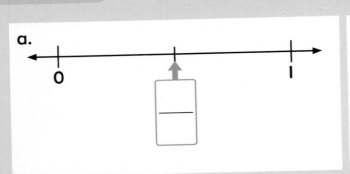

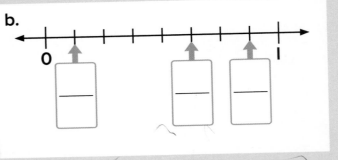

2. En cada recta numérica la distancia de 0 a 1 es un entero. Escribe la respuesta a cada problema. Dibuja saltos en la recta para indicar tu razonamiento.

a. Teresa tiene una botella que contiene $\frac{1}{6}$ de galón de agua. ¿Cuántas botellas necesitará para tener $\frac{4}{6}$ de galón de agua?

b. La familia de John compró una pizza cortada en octavos. John se comió $\frac{3}{8}$ de la pizza. ¿Cuántos trozos de pizza se comió?

3. Escribe una ecuación de suma que corresponda a los saltos en la recta numérica.

a.

$= \dfrac{}{}$

b.

$= \dfrac{}{}$

c.

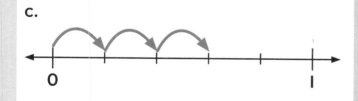

$= \dfrac{}{}$

Avanza   Completa cada ecuación.

a. $\dfrac{1}{3} + \dfrac{1}{3} + \dfrac{1}{3} = \dfrac{}{3}$

b. $\dfrac{1}{8} + \dfrac{1}{8} + \dfrac{1}{8} + \dfrac{1}{8} + \dfrac{1}{8} = \dfrac{}{8}$

c. $\dfrac{1}{2} + \dfrac{1}{2} = \dfrac{}{2}$

Conoce

A Mako se le pidió dibujar una imagen para indicar esta fración.

$$\frac{5}{6}$$

¿Qué imagen podría dibujar ella?

¿Cómo podrías indicar $\frac{5}{6}$ utilizando cada uno de estos modelos?

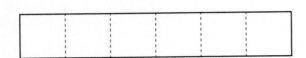

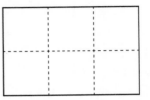

Dibuja una flecha para indicar la misma fracción en esta recta numérica.

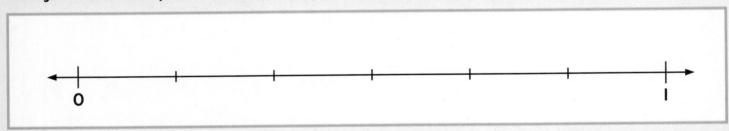

¿Cómo decidiste dónde dibujar la flecha?

Intensifica

I. Indica la misma fracción en cada modelo.

a.

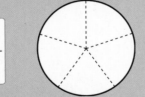

$$\frac{3}{5}$$

b.

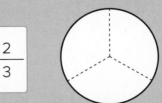

$$\frac{2}{3}$$

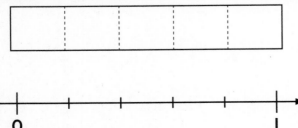

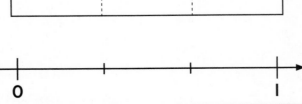

2. Escribe la fracción que indica cada modelo.

a.

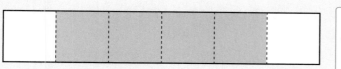

$\dfrac{4}{6}$

b.

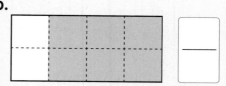

c.

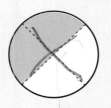

d.

e.

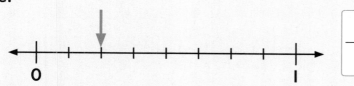

f.

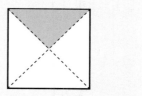

g.

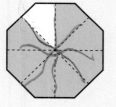

h.

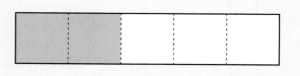

i.

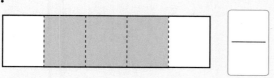

j.

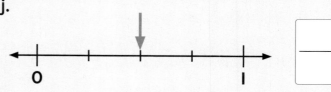

| Avanza | Haz una lista de las fracciones de la pregunta 2 que crees son **mayores que un medio**. |

Piensa y resuelve

Observa la gráfica y las pistas. Escribe los números que faltan.

Pistas

- Se vendió la mitad de pizza de vegetales que de pizza de queso.

- Se vendió dos veces la cantidad de pizza de pepperoni que de pizza de salchicha.

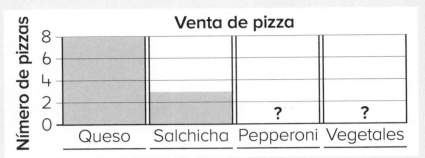

a. Se vendieron _____ pizzas de pepperoni y _____ pizzas de vegetales.

b. Se vendió un total de _____ pizzas.

Palabras en acción

Estos tres modelos indican la misma fracción.

Modelo de recta numérica	Modelo de área	Modelo longitudinal
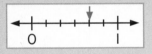		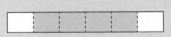

Escribe la fracción que indican. Luego escribe en qué se parecen y en qué se diferencian los modelos.

_____

_____

_____

_____

_____

_____

_____

_____

1. Dibuja saltos para indicar cómo restas.
Luego escribe las diferencias.

a.

475 − 127 = ☐

DE 2.10.10

b.

651 − 135 = ☐

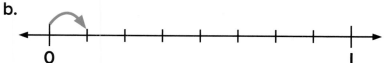

2. La distancia entre 0 y 1 es un entero. Escribe la fracción que se indica con cada salto.
Luego escribe la fracción con palabras.

a.

0   1

DE 3.4.10

b.

0   1

Dibuja saltos en la recta numérica para calcular
la diferencia. Haz el primer salto hasta el 100.

a.

116 − 87 = ☐

100

b.

125 − 79 = ☐

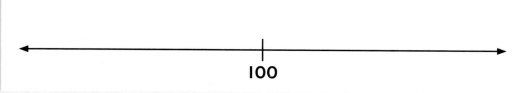

100

Conoce

Observa esta matriz. ¿Qué ves?

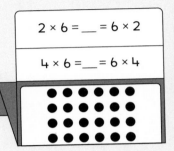

$2 \times 6 = \underline{\quad} = 6 \times 2$

¿Qué estrategia puedes utilizar para calcular el producto?

Observa la siguiente matriz. ¿Qué ves?

¿Qué estrategia puedes utilizar para calcular el producto?

Utilicé la estrategia del doble del doble.

$2 \times 6 = \underline{\quad} = 6 \times 2$

$4 \times 6 = \underline{\quad} = 6 \times 4$

Observa la siguiente matriz. ¿Qué ves?

¿Cómo puedes utilizar la operación básica del cuatro como ayuda para calcular el producto de la operación básica del ocho?

8 seises es lo mismo que el doble del doble del doble de 6.

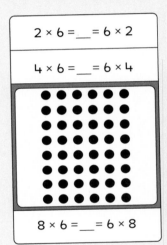

$2 \times 6 = \underline{\quad} = 6 \times 2$

$4 \times 6 = \underline{\quad} = 6 \times 4$

$8 \times 6 = \underline{\quad} = 6 \times 8$

¿Es esta una estrategia fácil de utilizar?

¿Qué otra operación básica del ocho podrías resolver utilizando esta estrategia?

Intensifica

1. Observa estas imágenes. Escribe los productos.

a.

doble de 9

$2 \times 9 = \underline{\qquad}$

b.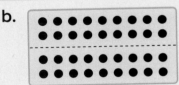

doble del doble de 9

$4 \times 9 = \underline{\qquad}$

c.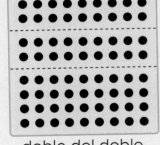

doble del doble del doble de 9

$8 \times 9 = \underline{\qquad}$

2. Escribe los productos de estas operaciones básicas.

a.

$2 \times 3 = \underline{}$

$4 \times 3 = \underline{}$

$8 \times 3 = \underline{}$

b.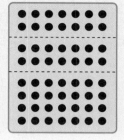

$2 \times 7 = \underline{}$

$4 \times 7 = \underline{}$

$8 \times 7 = \underline{}$

c.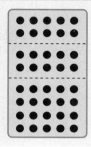

$2 \times 5 = \underline{}$

$4 \times 5 = \underline{}$

$8 \times 5 = \underline{}$

d.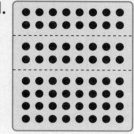

$2 \times 8 = \underline{}$

$4 \times 8 = \underline{}$

$8 \times 8 = \underline{}$

3. Utiliza una estrategia de duplicar para completar esta tabla.

Número	Doble (×2)	Doble del doble (×4)	Doble del doble del doble (×8)
6			
7			
	20		
		36	

Avanza

Escribe números en los cuadrados que al multiplicarlos en filas o en columnas el producto sea el número en el círculo.

a.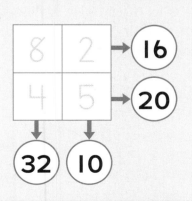

b.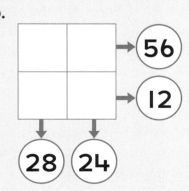

c.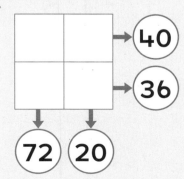

Conoce   Thomas compró 8 de estos paquetes de lápices.

¿Cuántos lápices compró él en total?

¿Cómo podrías calcularlos?

Escribe los números que se necesitan en cada casilla de abajo para indicar cuántos lápices compró él.

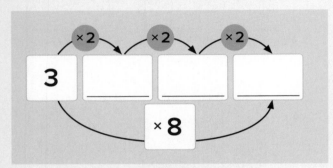

El doble de 3 es 6, el doble de 6 es 12 y el doble de 12 es 24. Entonces, 8 paquetes de 3 son 24 lápices.

Leila compró 8 paquetes de lápices. Cada paquete contenía 2 lápices. ¿Cuántos lápices compró?

¿Cómo podrías calcularlo?

Es más fácil pensar en el doble de 8 que en doble del doble del doble de 2.

¿Qué otros problemas podrías resolver utilizando estas estrategias?

Intensifica   **I.**   Indica cómo podrías utilizar la **estrategia del doble del doble del doble** para resolver cada problema.

a. Aaron compró 8 paquetes de adhesivos. Hay 6 adhesivos en cada paquete. ¿Cuántos adhesivos compró en total?

doble _____ son _____

doble _____ son _____

doble _____ son _____ adhesivos

b. Las tarjetas intercambiables se exhiben en una página de 8 filas y 9 columnas. ¿Cuántas tarjetas hay en la página?

doble _____ son _____

doble _____ son _____

doble _____ son _____ tarjetas

2. Escribe los números que faltan.

a.
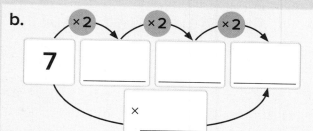
×2 ×2 ×2

| 5 | | | |

×____

b.

×2 ×2 ×2

| 7 | | | |

×____

c.

×2 ×2 ×2

| 4 | | | |

×____

d.

×2 ×2 ×2

| 8 | | | |

×____

3. Completa cada operación básica. Luego completa la operación básica conmutativa de cada una.

a.

$8 \times 3 =$ ____

____ × ____ = ____

b.

$8 \times 6 =$ ____

____ × ____ = ____

c.

$8 \times 2 =$ ____

____ × ____ = ____

4. Piensa en las operaciones básicas del cuatro y del ocho. Escribe los números que faltan en cada ecuación.

a.
$4 \times 7 =$ ☐

b.
$16 = 2 \times$ ☐

c.
☐ $\times 4 = 36$

d.
$24 =$ ☐ $\times 6$

e.
☐ $\times 8 = 64$

f.
$40 =$ ☐ $\times 10$

g.
$7 \times$ ☐ $= 56$

h.
$32 =$ ☐ $\times 8$

i.
$3 \times 8 =$ ☐

Avanza

Utiliza duplicación repetida para completar los números que faltan.

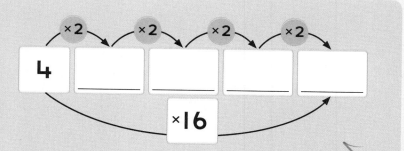

×2 ×2 ×2 ×2

| 4 | | | | |

×16

Práctica de cálculo

Duración:

★ Escribe cada producto. Luego escribe la operación básica conmutativa. Utiliza el reloj de tu salón de clases para medir tu tiempo de duración.

inicio

$5 \times 6 =$ ☐ $=$ ☐ $\times$ ☐ $4 \times 2 =$ ☐ $=$ ☐ $\times$ ☐

$5 \times 7 =$ ☐ $=$ ☐ $\times$ ☐ $4 \times 5 =$ ☐ $=$ ☐ $\times$ ☐

$9 \times 2 =$ ☐ $=$ ☐ $\times$ ☐ $2 \times 5 =$ ☐ $=$ ☐ $\times$ ☐

$2 \times 3 =$ ☐ $=$ ☐ $\times$ ☐ $9 \times 5 =$ ☐ $=$ ☐ $\times$ ☐

$5 \times 8 =$ ☐ $=$ ☐ $\times$ ☐ $0 \times 5 =$ ☐ $=$ ☐ $\times$ ☐

$6 \times 2 =$ ☐ $=$ ☐ $\times$ ☐ $2 \times 1 =$ ☐ $=$ ☐ $\times$ ☐

$3 \times 5 =$ ☐ $=$ ☐ $\times$ ☐ $0 \times 2 =$ ☐ $=$ ☐ $\times$ ☐

meta

$5 \times 1 =$ ☐ $=$ ☐ $\times$ ☐ $8 \times 2 =$ ☐ $=$ ☐ $\times$ ☐

Completa estas operaciones básicas tan rápido como puedas.

$5 \times 5 =$ _____ $2 \times 6 =$ _____ $8 \times 5 =$ _____

$2 \times 8 =$ _____ $6 \times 5 =$ _____ $5 \times 9 =$ _____

$5 \times 7 =$ _____ $4 \times 2 =$ _____ $2 \times 2 =$ _____

Práctica continua

I. Escribe **es mayor que** o **es menor que** para hacer cada declaración verdadera.

a.
1,149 _____ 1,094

b.
989 _____ 998

c.
1,012 _____ 1,021

d.
1,191 _____ 1,094

2. Escribe los productos.

a.
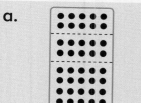

2 × 5 = _____

4 × 5 = _____

8 × 5 = _____

b.
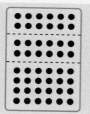

2 × 6 = _____

4 × 6 = _____

8 × 6 = _____

c.
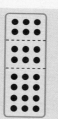

2 × 3 = _____

4 × 3 = _____

8 × 3 = _____

d.

2 × 9 = _____

4 × 9 = _____

8 × 9 = _____

Prepárate para el módulo 6

Completa estas ecuaciones.

a. 10 × [ ] = 40

b. [ ] × 1 = 10

c. 10 × [ ] = 70

d. 8 × [ ] = 80

e. 10 × 3 = [ ]

f. [ ] × 10 = 90

g. [ ] × 10 = 20

h. 10 × 7 = [ ]

i. [ ] × 5 = 50

Conoce   Observa esta tabla de cien.

1	2	3	4	5	6	7	8	9	10
11	12	13	14	15	16	17	18	19	20
21	22	23	24	25	26	27	28	29	30
31	32	33	34	35	36	37	38	39	40
41	42	43	44	45	46	47	48	49	50
51	52	53	54	55	56	57	58	59	60
61	62	63	64	65	66	67	68	69	70
71	72	73	74	75	76	77	78	79	80
81	82	83	84	85	86	87	88	89	90
91	92	93	94	95	96	97	98	99	100

Colorea de rojo todos los números de arriba que sean productos de las operaciones básicas del ocho.

Hay dos números en las últimas dos filas que son los productos de 8 × 11 y 8 × 12.

¿Puedes ver algún patrón que te podría ayudar a calcular los números?

¿Qué estrategia podrías utilizar para comprobar tu respuesta?

Imagina que la tabla continúa hasta el 200.
¿Qué otros números colorearías para continuar el patrón?

¿Cómo lo sabes?

Utiliza la tabla de cien de la página 164 para responder estas preguntas.

I. Observa el patrón de color de los números. ¿Son los números pares o impares?

2. Observa los números rojos en una sola columna. ¿Qué notas?

3. Observa los números que están en una línea diagonal. ¿Qué cambio ocurre en los dígitos en la posición de las unidades de un número al siguiente?

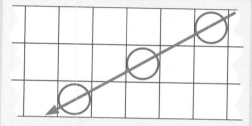

4. a. Encierra todos los números de la tabla que sean productos de las operaciones básicas del cuatro.

b. ¿Qué patrón notas?

Completa estas operaciones básicas. Luego escribe acerca del patrón que notas.

$8 \times \boxed{} = 32$

$4 \times \boxed{} = 32$

$2 \times \boxed{} = 32$

Conoce ¿Qué ves en esta imagen?

¿Qué ecuación podrías escribir para describir la fila de vehículos?

¿Qué otras cosas podrías ver en una fila? Haz un dibujo que corresponda.

Escribe una ecuación para describir tu imagen.

Intensifica

I. Completa la imagen de manera que corresponda al problema. Luego completa la operación básica de multiplicación correspondiente.

a. **7 pájaros en una cerca**
¿Cuántos pájaros en total?

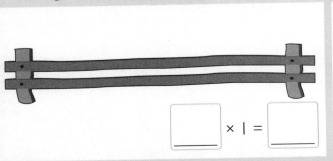

$\square \times 1 = \square$

b. **6 galletas en un frasco**
¿Cuántas galletas en total?

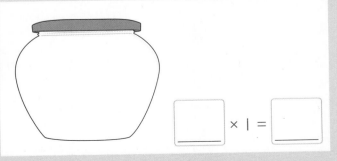

$\square \times 1 = \square$

2. Completa la operación básica de multiplicación que corresponda a cada imagen.

a. **Una pelota para cada estudiante** ¿Cuántas pelotas en total?	b. **Una línea de patos** ¿Cuántos patos en total?
$\boxed{} \times 1 = \boxed{}$	$\boxed{} \times 1 = \boxed{}$

3. Escribe un número mayor que 1 pero menor que 10 en cada declaración. Luego dibuja una imagen que corresponda y escribe la operación básica de multiplicación relacionada.

a. $\boxed{}$ bananas en un racimo

$\boxed{} \times \boxed{} = \boxed{}$

b. $\boxed{}$ estampillas en una filia

$\boxed{} \times \boxed{} = \boxed{}$

c. $\boxed{}$ *muffins* en una bandeja

$\boxed{} \times \boxed{} = \boxed{}$

d. $\boxed{}$ flores en un jarrón

$\boxed{} \times \boxed{} = \boxed{}$

Avanza   Escribe una regla que puedas utilizar cuando multiplicas por uno.

_____

_____

Piensa y resuelve

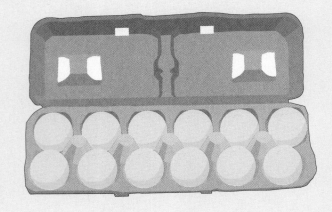

Con 3 huevos se hacen 5 *omelets*.

Con 6 huevos se hacen 10 *omelets*.

Con 9 huevos se hacen 15 *omelets*.

Completa estos enunciados.

a. Con 12 huevos se hacen _____ *omelets*.

b. Con _____ huevos se hacen 35 *omelets*.

Palabras en acción

Escribe acerca de cómo se relacionan las operaciones básicas de multiplicación del dos, del cuatro y del ocho.

© ORIGO Education

1. Redondea cada número a la decena más cercana.

a.
753 [ ]

b.
478 [ ]

c.
398 [ ]

DE 3.3.11

d.
3,616 [ ]

e.
7,854 [ ]

f.
5,405 [ ]

2. Completa cada imagen.

a.
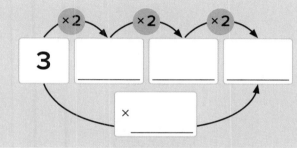
3

×

b.
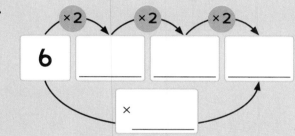
6

×

DE 3.5.2

c.
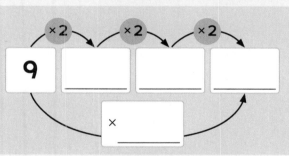
9

×

d.
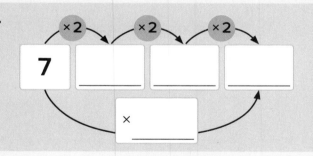
7

×

Prepárate para el módulo 6

Observa los precios en el menú. Escribe ecuaciones para calcular estos problemas.

a. ¿Cuál es el costo total de 5 emparedados?

b. ¿Cuál es el costo total de 8 bebidas?

c. ¿Cuál es el costo total de 9 combos?

MENÚ

Emparedado	$3
Bebida	$2
Combo	$4

Conoce   Describe lo que ves en cada fila.

Fila A

Fila B

Fila C

Fila D

¿Qué operación básica de multiplicación podrías escribir para describir cada fila?

Observa la fila D. ¿Qué pasa cuando multiplicas por 0?

Intensifica   1. Dibuja la imagen. Luego escribe la operación básica de multiplicación.

a.   **3 galletas en cada frasco**

$3 \times \boxed{} = \boxed{}$

b.   **2 galletas en cada frasco**

$3 \times \boxed{} = \boxed{}$

c.   **1 galleta en cada frasco**

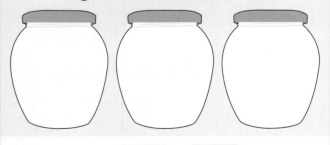

$3 \times \boxed{} = \boxed{}$

d.   **0 galletas en cada frasco**

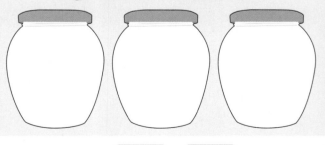

$3 \times \boxed{} = \boxed{}$

2. Dibuja filas de 5 estrellas en la bandera de manera que correspondan a la operación básica de multiplicación.

a.

$3 \times 5 = 15$

b.
$2 \times 5 = 10$

c.

$1 \times 5 = 5$

d.
$0 \times 5 = 0$

3. Dibuja saltos en la recta numérica para indicar cada operación básica. Luego escribe los productos.

a.

$4 \times 2 = \boxed{}$

b.

$4 \times 1 = \boxed{}$

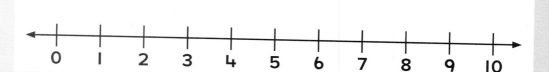

c.

$4 \times 0 = \boxed{}$

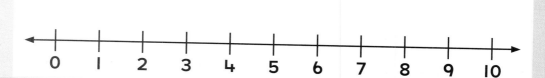

Avanza   Escribe una regla que puedas utilizar cuando multiplicas por 0.

Conoce   Damon sembró una fila de **6** plántulas.

¿Cuántas plántulas sembró? ¿Cómo lo sabes?

Mia tenía **6** paquetes de adhesivos. Ella le dio adhesivos a todos sus amigos hasta que los paquetes quedaron vacíos.

¿Cuántos adhesivos le quedaron a Mia? ¿Cómo lo sabes?

Ruby tenía **6** lápices sobre su escritorio.
Luego su amiga le dio otro lápiz.

¿Cuántos lápices tiene Ruby en total? ¿Cómo lo sabes?

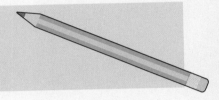

Andrew tenía **6** champiñones en su plato.
Él no se comió ninguno.

¿Cuántos champiñones se comió Andrew? ¿Cómo lo sabes?

¿Qué puedes decir de las matemáticas incluidas en cada historia?

Intensifica   I. Lee la ecuación cuidadosamente. Luego escribe la respuesta.

a. $5 \times 1 =$ _____

b. $9 \times 1 =$ _____

c. $8 \times 0 =$ _____

d. $1 \times 7 =$ _____

e. $0 \times 4 =$ _____

f. $5 \times 1 =$ _____

g. $37 \times 1 =$ _____

h. $97 \times 0 =$ _____

i. $0 \times 58 =$ _____

2. Multiplica los dos números en cada fila y escribe el producto en el círculo correspondiente. Luego multiplica los dos números en cada columna y escribe el producto en el círculo correspondiente.

a.
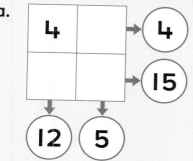

b.
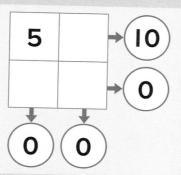

c.
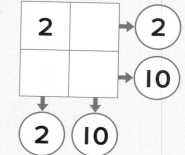

3. Calcula qué números deben estar en cada fila y columna para tener como producto el número en el círculo correspondiente.

a.
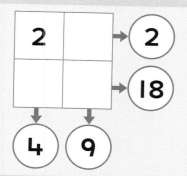

b.
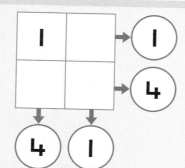

c.
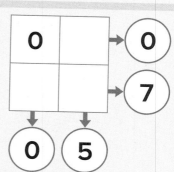

d.

2		→ 2
		→ 18
↓	↓	
4	9	

e.

1		→ 1
		→ 4
↓	↓	
4	1	

f.

0		→ 0
		→ 7
↓	↓	
0	5	

Avanza Escribe una historia que corresponda a esta operación básica.

$$1 \times 9 = 9$$

Práctica de cálculo   ¿Qué tan lejos puedes adentrarte en el desierto?

★ Completa las ecuaciones. Luego escribe cada letra arriba del total correspondiente en la parte inferior de la página.

★ Algunas letras se repiten.

$55 + 56 =$ ___ **t**	$87 + 86 =$ ___ **e**	$68 + 66 =$ ___ **i**
$98 + 97 =$ ___ **s**	$76 + 77 =$ ___ **a**	$58 + 56 =$ ___ **c**
$87 + 88 =$ ___ **o**	$67 + 65 =$ ___ **p**	$95 + 96 =$ ___ **n**
$75 + 76 =$ ___ **m**	$57 + 58 =$ ___ **d**	$86 + 88 =$ ___ **a**
$66 + 65 =$ ___ **d**	$97 + 95 =$ ___ **h**	$77 + 78 =$ ___ **l**

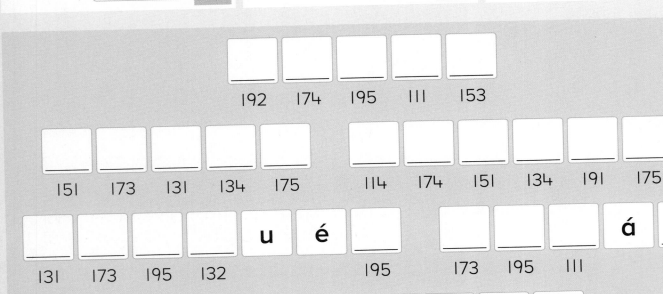

192   174   195   111   153

151   173   131   134   175   114   174   151   134   191   175 **,**

131   173   195   132   **u**   **é**   195   173   195   111   **á**   195

195   153   155   134   173   191   115   175

© ORIGO Education

Práctica continua

I. Completa estas operaciones básicas.

a.

30 puntos
en total

● ● ● ● ● ●

_____ × 5 = 30

30 ÷ 5 = _____

b.

●
●
●
●

15 puntos
en total

3 × _____ = 15

15 ÷ 3 = _____

c.

●
●
●
●
●

45 puntos
en total

5 × _____ = 45

45 ÷ 5 = _____

d.

40 puntos
en total

● ● ● ● ● ● ● ●

_____ × 8 = 40

40 ÷ 8 = _____

2. a. Dibuja saltos en la recta numérica para indicar cada ecuación. Luego escribe los productos.

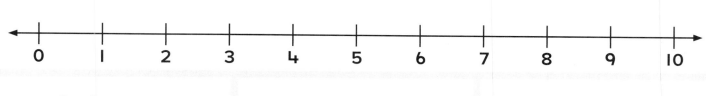

$3 × 2 =$ _____ $3 × 1 =$ _____ $3 × 0 =$ _____

b. ¿Qué sucede cuando multiplicas por 0?

_____

_____

Prepárate para el módulo 6

Utiliza una **estrategia de duplicar** para completar esta tabla.

	Número	Doble (×2)	Doble del doble (×4)	Doble del doble del doble (×8)
a.	9	18		
b.	4			
c.	7			

Conoce

Hay **6 platos** en una mesa de pícnic.

Hay **4 fresas** en cada plato.

También hay una banana en **2 de los platos.**

¿Cuántas fresas hay en total?
¿Cómo lo sabes?

¿Qué números de la historia te ayudaron?

¿Cuáles números utilizarías para
calcular cuántas frutas hay en total?

Hay 6 platos y 4 fresas
en cada plato.

Intensifica

I. Escribe la ecuación que corresponda a cada problema. Utiliza
un **?** para la cantidad desconocida. Luego calcula la respuesta.

a. Un profesor tiene 5 reglas. Cada
regla mide un pie de largo, 3 son
de plástico. ¿Cuál es la longitud
total de las reglas si se colocan
juntas una detrás de la otra?

$\boxed{} \times \boxed{} = \boxed{}$

$\boxed{}$ pies

b. Todos los días Laura y 2 amigos
trotan 3 vueltas alrededor de
la pista de atletismo. ¿Cuántas
vueltas trotará Laura en 8 días?

$\boxed{} \times \boxed{} = \boxed{}$

$\boxed{}$ vueltas

c. Nathan ordenó un librero de modo
que cada estante tuviera 9 libros.
Hay 4 estantes de libros. 7 de los
libros son de gatos. ¿Cuántos libros
hay en total?

$\boxed{} \times \boxed{} = \boxed{}$

$\boxed{}$ libros

d. Las sillas en un auditorio están
ordenadas en 6 filas. Hay 8 sillas
en cada fila. Solo 5 personas se
sentaron en cada fila. ¿Cuántas
personas hay en total?

$\boxed{} \times \boxed{} = \boxed{}$

$\boxed{}$ personas

2. Escribe la ecuación que corresponda a cada problema. Utiliza un **?** para la cantidad desconocida. Luego calcula la respuesta.

a. Rozene tiene 4 trozos de cinta. Cada cinta mide 3 pies de largo. Ella necesita el doble de la longitud total de la cinta que tiene. ¿Cuántos pies de cinta necesita Rozene en total?

_____ pies

b. Una verdulería vende bolsas de naranjas y de manzanas de 3 kilogramos. Mi papá compra 2 bolsas de naranjas y 6 bolsas de manzanas. ¿Cuál es la masa total de las frutas que compra mi papá?

_____ kg

c. Oscar hornea una bandeja de galletas. La bandeja contiene 4 filas con 7 galletas en cada fila. A Oscar le sobra un poco de masa y decide hornear otra bandeja de solo una fila de 7 galletas. ¿Cuántas galletas hornea en total?

_____ galletas

Avanza

Escribe un problema verbal que corresponda a este cálculo.

4 × 6 luego suma 3

_____

_____

_____

5.8	Resta: Contando hacia atrás para restar números de dos dígitos (con descomposición)

Conoce   Imagina que tienes $55 en tu billetera.

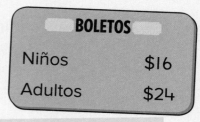

BOLETOS

Niños	$16
Adultos	$24

¿Cuánto dinero te sobrará si compras un boleto para niños?
Nam utilizó bloques para calcular la cantidad.

Primero indicó 55.

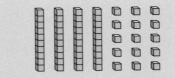

Luego intercambió un bloque de decenas por 10 bloques de unidades.

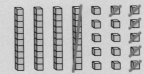

Luego removió 16 para encontrar la cantidad que sobra.

¿Por qué Nam descompuso un bloque de decenas en 10 bloques de unidades?
¿Qué cantidad sobra?

Carlos utilizó una estrategia diferente.
Él contó hacia atrás las decenas y luego las unidades en una recta numérica.

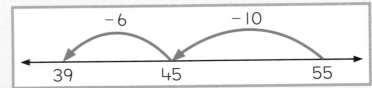

¿Cuál estrategia te gusta más? ¿Por qué?
¿Cuánto te sobrará si compraras un boleto para adultos?

Intensifica   **I.** En cada imagen se descompuso un bloque de decenas en 10 bloques de unidades. Tacha bloques y completa los enunciados para calcular la diferencia.

a.
$43 - 15 = \boxed{}$

Hay $\boxed{}$ decenas.

Hay $\boxed{}$ unidades.

$\boxed{}$ y $\boxed{}$ son $\boxed{}$

b.
$72 - 26 = \boxed{}$

Hay $\boxed{}$ decenas.

Hay $\boxed{}$ unidades.

$\boxed{}$ y $\boxed{}$ son $\boxed{}$

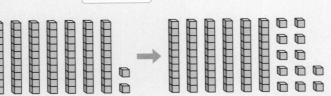

2. Utiliza la estrategia de contar hacia atrás para calcular cada diferencia. Dibuja saltos en la recta numérica para indicar tu razonamiento.

a.

$56 - 18 =$ ☐

b.

$84 - 26 =$ ☐

c.

$105 - 17 =$ ☐

3. Calcula la diferencia. Dibuja saltos en la recta numérica para indicar tu razonamiento.

a.

$145 - 28 =$ ☐

b.

$113 - 35 =$ ☐

Avanza

Imagina que utilizaste dos billetes de $50 para comprar 2 boletos para adultos y uno para niños. ¿Cuánto recibirás de vuelto?

BOLETOS

| Niños | $18 |
| Adultos | $27 |

Espacio de trabajo

$_____

Piensa y resuelve Las figuras iguales valen lo mismo. Escribe el valor que falta dentro de cada figura.

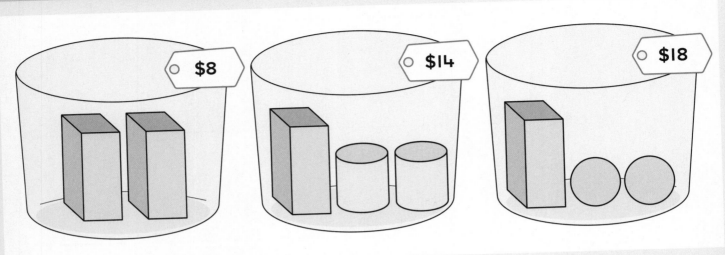

Palabras en acción

Escribe un problema verbal que podrías resolver utilizando la estrategia de multiplicación del ocho. Luego escribe acerca de cómo encontraste la solución.

1. Completa la operación básica de multiplicación que utilizarías para calcular la operación básica de división. Luego completa la operación básica de división.

a.

20 puntos
en total

● ● ● ● ●

$\underline{\quad} × 5 = 20$

$20 ÷ \underline{\quad} = \underline{\quad}$

b.

24 puntos
en total

● ● ● ● ● ●

$\underline{\quad} × 6 = 24$

$24 ÷ \underline{\quad} = \underline{\quad}$

c.

● ●

14 puntos
en total

$2 × \underline{\quad} = 14$

$14 ÷ \underline{\quad} = \underline{\quad}$

d.

16 puntos
en total

● ● ● ●

$\underline{\quad} × 4 = 16$

$16 ÷ \underline{\quad} = \underline{\quad}$

2. Escribe la ecuación correspondiente. Utiliza un **?** para la cantidad desconocida. Luego escribe la respuesta.

a. Papá tenía 10 trozos de madera. Cada trozo medía 6 pies de largo. Él utilizó 4 trozos. ¿Cuántos pies de madera utilizó él?

$\underline{\quad} × \underline{\quad} = \underline{\quad}$

$\underline{\quad}$ pies

b. Las camisas cuestan $8 cada una y los *shorts* $10 cada uno. ¿Cuánto costarán 3 camisas?

$\underline{\quad} × \underline{\quad} = \underline{\quad}$

$\underline{\quad}

Completa la operación numérica básica que corresponda a cada imagen.

a. **1 fila de 5 niños**
¿Cuántos niños en total?

$1 × \underline{\quad} = \underline{\quad}$

b. **1 flor en cada jarrón**
¿Cuántas flores en total?

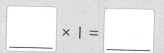

$\underline{\quad} × 1 = \underline{\quad}$

Conoce

¿Cómo podrías calcular la cantidad de dinero que queda en la tarjeta de regalo después de comprar la patineta?

$175
Tarjeta de regalo

$48

Nicole utilizó una recta numérica para calcularla.

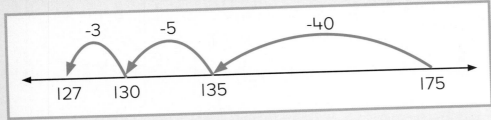

¿Cómo calcula ella la cantidad que queda en la tarjeta de regalo?

Dixon dibujó esta imagen para calcular la cantidad de dinero que queda en la tarjeta de regalo después de comprar el casco.

$245
Tarjeta de regalo

$109

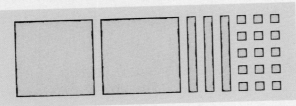

¿Por qué él dibujó 3 bloques de decenas y 15 bloques de unidades?

¿Cuánto dinero queda en la tarjeta de regalo?

Intensifica

I. Calcula cuánto dinero queda en la tarjeta de regalo.
    Dibuja imágenes para indicar tu razonamiento.

a.

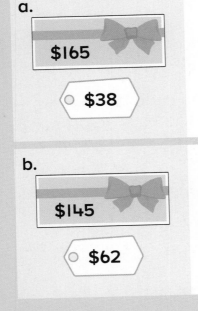

$165

$38

$_____

b.

$145

$62

$_____

2. Calcula la cantidad que queda en la tarjeta de regalo. Dibuja saltos en la recta numérica para indicar tu razonamiento.

a.

 $27

$_____

⟵————————————————————————————⟶

b.

 $58

$_____

⟵————————————————————————————⟶

c.

 $129

$_____

⟵————————————————————————————⟶

3. Calcula cada diferencia. Puedes utilizar bloques o hacer notas en la página 194 como ayuda.

a.
$129 - 45 = $ _____

b.
$294 - 135 = $ _____

c.
$305 - 121 = $ _____

página 194

Avanza

Stella tenía $125. Compró algunos de estos artículos. Ahora le quedan $46. ¿Qué artículos compró? Ella pudo haber comprado más de una unidad de cada artículo.

Reproductor de DVD
$99

Audífonos
$40

DVDs
$15 each

Set de DVDs
$49

_____

_____

Conoce

¿Cuántos puntos más que el equipo de casa anotó el equipo visitante?

Gavin utilizó la estrategia de contar hacia delante para calcular la diferencia.

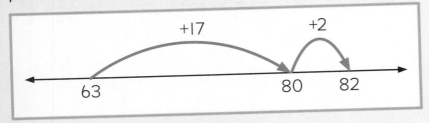

¿Cómo calcularías la diferencia?

¿En dónde se ubica en la recta numérica?

Contar hacia delante es una estrategia útil cuando la diferencia es pequeña.

Dibuja saltos en esta recta numérica para calcular la diferencia entre estos dos puntajes.

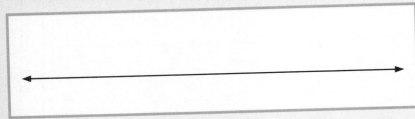

Intensifica

I. Cuenta hacia delante desde el puntaje menor hasta el puntaje mayor para calcular la diferencia. Dibuja saltos en la recta numérica para indicar tu razonamiento.

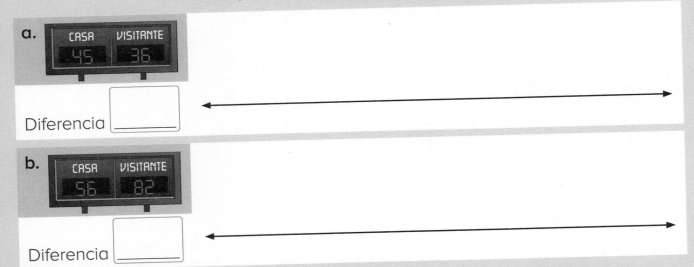

© ORIGO Education

2. Utiliza la estrategia de contar hacia delante para calcular la diferencia entre estos puntajes.

a.

CASA	VISITANTE
65	93

Diferencia _____

b.

CASA	VISITANTE
52	37

Diferencia _____

c.

CASA	VISITANTE
120	85

Diferencia _____

d.

CASA	VISITANTE
92	115

Diferencia _____

e.

CASA	VISITANTE
56	110

Diferencia _____

Avanza

El equipo de baloncesto de Marcos anotó 81 puntos en total. Ellos anotaron 15 puntos en el 4.° periodo, 18 puntos en el 3.er periodo y 20 puntos en el 2.° periodo.

¿Cuántos puntos anotaron en el 1.er periodo?

_____ puntos

Práctica de cálculo

★ Escribe cada diferencia en el rompecabezas de abajo.

Horizontal	Vertical
a. 68 − 44	**b.** 77 − 34
c. 87 − 65	**d.** 46 − 23
e. 76 − 41	**f.** 85 − 34
g. 57 − 21	**h.** 97 − 34
j. 37 − 24	**i.** 78 − 54
l. 65 − 24	**k.** 69 − 36
n. 88 − 51	**m.** 98 − 81
p. 89 − 16	**o.** 95 − 23
r. 39 − 18	**q.** 49 − 11
t. 96 − 14	**s.** 58 − 42

I. Colorea una matriz que corresponda a los números dados. Luego completa la familia de operaciones básicas correspondiente.

a.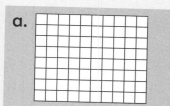

$4 \times 5 =$ _____

_____ × _____ = _____

_____ ÷ _____ = _____

_____ ÷ _____ = _____

b.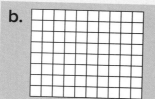

$8 \times 2 =$ _____

_____ × _____ = _____

_____ ÷ _____ = _____

_____ ÷ _____ = _____

c.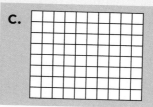

$5 \times 7 =$ _____

_____ × _____ = _____

_____ ÷ _____ = _____

_____ ÷ _____ = _____

d.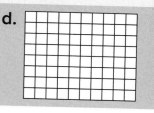

$4 \times 8 =$ _____

_____ × _____ = _____

_____ ÷ _____ = _____

_____ ÷ _____ = _____

2. En esta imagen se ha descompuesto un bloque de decenas en 10 bloques de unidades. Tacha bloques y completa los enunciados para calcular la diferencia.

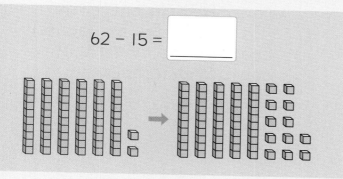

$62 - 15 = \boxed{}$

Hay $\boxed{}$ _____ decenas.

Hay $\boxed{}$ _____ decenas.

$\boxed{}$ _____ y $\boxed{}$ _____ son $\boxed{}$ _____

Esta tabla indica el número de cubos que los estudiantes pueden tomar con una mano. Dibuja ☐ para indicar los datos en la gráfica.

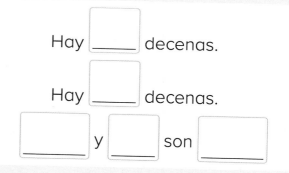

Cubos que podemos tomar   ☐ = I cubo

Estudiante									
Daniela									
William									
Kinu									

Conoce

Trina mide la longitud de la extensión de sus brazos.

Ella luego compara la longitud de la extensión de sus brazos con la de otras personas en su familia.

¿Cómo podría ella calcular la diferencia de longitud entre la extensión de sus brazos y la extensión de los de David?

Trina	125 cm
David	93 cm
Samantha	167 cm
Felipe	182 cm

Trina utiliza una recta numérica.

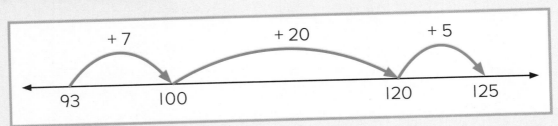

¿Cómo calcula ella la diferencia? ¿Qué pasos sigue?

¿Por qué ella decide contar hacia delante en vez de contar hacia atrás?

Utiliza esta recta numérica para calcular la diferencia entre la extensión de los brazos de Samantha y la de los de Felipe.

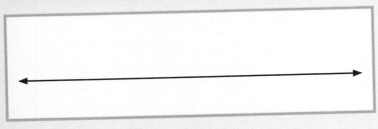

La diferencia entre las dos longitudes es pequeña, entonces es más fácil contar hacia delante.

Intensifica

1. Calcula la diferencia entre la extensión de los brazos de David y la extensión de los brazos de Samantha. Dibuja saltos en la recta numérica para indicar tu razonamiento.

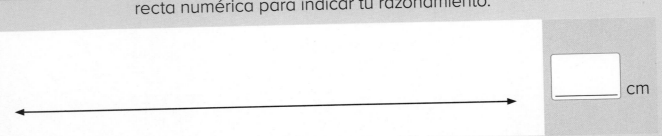

_____ cm

2. Calcula cada diferencia. Dibuja saltos en la recta numérica para indicar tu razonamiento.

a.

$130 - 83 = \underline{}$

b.

$113 - 65 = \underline{}$

c.

$172 - 108 = \underline{}$

3. Calcula cada diferencia. Indica tu razonamiento.

a.

$124 - 75 = \underline{}$

b.

$342 - 195 = \underline{}$

Avanza

Utiliza la recta numérica como ayuda para resolver este problema. Hay más de una respuesta posible.

Jamal y Allison han ahorrado más de $100 cada uno. Allison ha ahorrado $45 más que Jamal. ¿Cuánto podría haber ahorrado cada persona?

Jamal	Allison
$\underline{}	$\underline{}

Conoce   Sofía quiere comprar una de estas guitarras.

○ $158

○ $95

¿Cerca de cuánto ahorrará si compra
la guitarra menos costosa?

¿Crees que ella
ahorrará más de
$50, o menos de $50?

¿Cuál método utilizarías para calcular la cantidad exacta?

¿Qué pasos seguirías para resolver este problema verbal?

Jude tiene $290 en su cuenta bancaria. Si él compra un monopatín por $145
y un casco por $23, ¿cuánto dinero le quedará en la cuenta bancaria?

Yo llamaré al costo total C.
C = 145 + 23
La cantidad que le queda a Jude es $290 – C.

Intensifica

1. Escribe ecuaciones que correspondan a cada problema. Utiliza
una letra u otro símbolo para la cantidad desconocida.
Luego calcula la respuesta.

a. Pati ha ahorrado $170. Ella
compra una mesa de centro por
$87 y una silla por $50. ¿Cuánto
dinero le queda en sus ahorros?

b. Paul compra 89 yardas de cerca
de alambre para un jardín y un
gallinero. Después de cercar,
le sobran 25 yardas. ¿Cuántas
yardas de cerca utilizó?

$_____

_____ yd

2. Resuelve cada problema. Indica tu razonamiento.

a. Archie camina 263 pasos hasta la escuela. Franco camina 148 pasos hasta la misma escuela. ¿Cuál es la diferencia entre el número de pasos?

_____ pasos

b. Una bobina contiene 192 pies de cuerda. Primero se cortan 54 pies de cuerda y luego otros 75 pies. ¿Cuánta cuerda queda en la bobina?

_____ pies

c. Alisa tiene ahorrados $75. Ella ha visto dos guitarras que le gustan. La guitarra roja cuesta $167 y la guitarra morada cuesta $135. Una correa para guitarra cuesta $21. Si Alisa quiere comprar la guitarra roja y la correa, ¿cuánto más dinero necesita?

$_____

Avanza

Escribe un problema verbal que corresponda a este cálculo.

127 + 48 luego resta 136

_____

_____

_____

_____

Piensa y resuelve

Escribe cómo puedes utilizar **las dos** cubetas para medir exactamente 7 litros de agua y ponerlos en la tina.

Cubetas

 3 L

 5 L

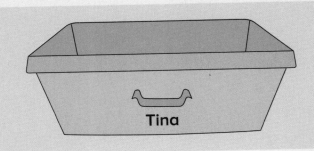

Tina

Palabras en acción

Escribe una ecuación de resta que utilice los números 169 y 215.

Escribe un problema verbal que corresponda a la ecuación. Luego escribe cómo encuentras la solución.

[ ] − [ ] = [ ]

| Práctica continua | **I.** Utiliza lo que puedes ver como ayuda para escribir una familia de operaciones básicas para cada matriz. |

a.

$\underline{6} \times \underline{4} = \underline{}$

$\underline{4} \times \underline{6} = \underline{}$

$\underline{} \div \underline{} = \underline{}$

$\underline{} \div \underline{} = \underline{}$

b.

$\underline{4} \times \underline{} = \underline{}$

$\underline{} \times \underline{4} = \underline{}$

$\underline{} \div \underline{} = \underline{}$

$\underline{} \div \underline{} = \underline{}$

c.

$\underline{} \times \underline{} = \underline{}$

$\underline{} \times \underline{} = \underline{}$

$\underline{} \div \underline{} = \underline{}$

$\underline{} \div \underline{} = \underline{}$

2. Utiliza la estrategia de contar hacia delante para calcular la diferencia entre estos puntajes. Dibuja saltos en la recta numérica para indicar tu razonamiento.

CASA	VISITANTE
74	56

Diferencia _____

| Prepárate para el módulo 6 | Esta tabla indica los sabores favoritos de jugos de algunos estudiantes de 3.er grado. |

Jugo	Número de votos
Manzana	8
Arándano	9
Naranja	4

Completa la gráfica de barras para indicar los datos.

Título: _____

Jugo

Número de votos

0 1 2 3 4 5 6 7 8 9 10

◆ 194

Conoce

¿Qué sabes acerca de esta matriz?

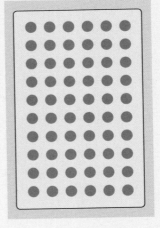

¿Cómo puedes calcular el número total de puntos?

Escribe una ecuación para describir la matriz.

¿Qué sabes acerca de esta matriz?

¿Cómo puedes utilizar la primera matriz para calcular el número total de puntos en esta matriz?

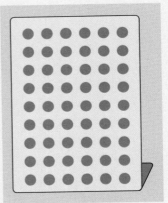

Sé que 10 seises son 60, entonces 9 seises son 6 menos. Eso es 54.

¿Qué otras operaciones básicas que involucren **9** podrías resolver utilizando esta estrategia?

Intensifica

1. Observa estas imágenes. Completa cada par de operaciones básicas.

a.

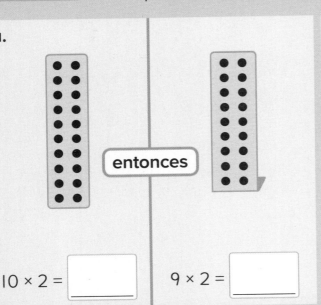

entonces

$10 \times 2 = $ _____

$9 \times 2 = $ _____

b.

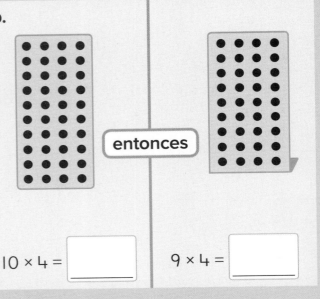

entonces

$10 \times 4 = $ _____

$9 \times 4 = $ _____

2. Escribe el producto para la operación básica de diez. Utiliza esa operación como ayuda para escribir la operación básica del nueve y su operación conmutativa.

a.
$$10 \times 3 = \boxed{}$$
entonces

9 × 3 = ___

3 × ___ = ___

b.
$$10 \times 5 = \boxed{}$$
entonces

9 × 5 = ___

5 × ___ = ___

c.
$$10 \times 4 = \boxed{}$$
entonces

9 × 4 = ___

4 × ___ = ___

d.
$$10 \times 7 = \boxed{}$$
entonces

9 × ___ = ___

___ × ___ = ___

e.
$$10 \times 6 = \boxed{}$$
entonces

9 × ___ = ___

___ × ___ = ___

f.
$$10 \times 8 = \boxed{}$$
entonces

9 × ___ = ___

___ × ___ = ___

3. Colorea el ◯ junto al razonamiento que podrías utilizar para calcular el producto de la operación básica del nueve. Luego escribe el producto.

a.
$$9 \times 7 = \boxed{}$$
◯ 10 × 7 luego resta 7
◯ 10 × 7 luego resta 9
◯ 10 × 7 luego resta 10

b.
$$9 \times 4 = \boxed{}$$
◯ 10 × 4 luego resta 9
◯ 10 × 4 luego resta 4
◯ 10 × 9 luego resta 4

c.
$$9 \times 8 = \boxed{}$$
◯ 10 × 8 luego resta 9
◯ 10 × 8 luego resta 8
◯ 9 × 8 luego resta 10

Avanza

Amy calculó 3 × 9 de esta manera:
Describe su error con palabras.

10 filas de 3 son 30, entonces 9 filas de 3 son 9 menos. Eso es 21.

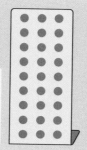

Conoce

Observa estas operaciones básicas del nueve.

$9 \times 3 = 27$ $9 \times 4 = 36$ $9 \times 5 = 45$

¿Qué notas en cada producto?

¿Qué sucede cuando sumas los dos dígitos de cada producto?

Cuando trabajas con las operaciones básicas del nueve, los dígitos de cada producto suman 9.

Sé que mi operación básica del nueve es incorrecta si los dígitos el producto no suman 9.

Escribe tres operaciones básicas del nueve más. Luego comprueba que los dígitos en cada producto sumen 9.

☐ × ☐ = ☐   ☐ × ☐ = ☐   ☐ × ☐ = ☐

Intensifica

I. Encierra las operaciones básicas incorrectas.
Escribe las operaciones básicas de manera correcta.

a.
$9 \times 1 = 9$
$9 \times 2 = 18$
$9 \times 3 = 27$
$9 \times 4 = 36$
$9 \times 5 = 45$
$9 \times 6 = 54$
$9 \times 7 = 62$
$9 \times 8 = 72$
$9 \times 9 = 81$
$9 \times 10 = 90$

b.
$9 \times 1 = 9$
$9 \times 2 = 18$
$9 \times 3 = 27$
$9 \times 4 = 38$
$9 \times 5 = 45$
$9 \times 6 = 54$
$9 \times 7 = 63$
$9 \times 8 = 72$
$9 \times 9 = 81$
$9 \times 10 = 90$

c.
$9 \times 1 = 9$
$9 \times 2 = 18$
$9 \times 3 = 27$
$9 \times 4 = 36$
$9 \times 5 = 45$
$9 \times 6 = 54$
$9 \times 7 = 63$
$9 \times 8 = 72$
$9 \times 9 = 79$
$9 \times 10 = 90$

2. Colorea los productos que pertenezcan a una operación básica del nueve.
Luego escribe las operaciones básicas del nueve correspondientes.

a.

| 72 | 19 | 45 | 53 | 90 | 27 | 60 |

☐ × ☐ = ⬭   ☐ × ☐ = ⬭

☐ × ☐ = ⬭   ☐ × ☐ = ⬭

b.

| 67 | 9 | 81 | 71 | 63 | 54 | 94 |

☐ × ☐ = ⬭   ☐ × ☐ = ⬭

☐ × ☐ = ⬭   ☐ × ☐ = ⬭

3. Escribe un problema verbal que corresponda a esta ecuación. $6 \times 9 = ?$

_____

_____

_____

_____

Avanza   Completa la operación básica del nueve. Utiliza el producto como ayuda para completar la ecuación debajo de ésta.

a.
$3 \times 9 =$ ☐

$3 \times 90 =$ ☐

b.
$7 \times 9 =$ ☐

$7 \times 90 =$ ☐

c.
$9 \times 2 =$ ☐

$90 \times 2 =$ ☐

d.
$9 \times 8 =$ ☐

$90 \times 8 =$ ☐

Práctica de cálculo

El gatito Cutie duerme sobre el piano. Anoche hubo una tormenta y se fue la luz. ¿Dónde estaba Cutie cuando se fue la luz?

★ Escribe cada producto y su operación conmutativa. Luego escribe cada letra arriba del total correspondiente en la parte inferior de la página.

4 × 3 = ☐ = ☐ × ☐ **a**   6 × 4 = ☐ = ☐ × ☐ **n**

8 × 4 = ☐ = ☐ × ☐ **e**   4 × 0 = ☐ = ☐ × ☐ **u**

4 × 7 = ☐ = ☐ × ☐ **o**   9 × 4 = ☐ = ☐ × ☐ **r**

2 × 4 = ☐ = ☐ × ☐ **i**   4 × 5 = ☐ = ☐ × ☐ **s**

4 × 1 = ☐ = ☐ × ☐ **d**

☐ ☐   **l** ☐

32   24   12

☐ ☐ **c** ☐ ☐ ☐ ☐ ☐

28   20   0   36   8   4   12   4

Completa estas operaciones básicas tan rápido como puedas.

8 × 4 = ☐   8 × 8 = ☐   5 × 8 = ☐

1 × 8 = ☐   7 × 8 = ☐   8 × 9 = ☐

8 × 6 = ☐   8 × 2 = ☐   3 × 8 = ☐

Práctica continua

1. Completa estos rompecabezas para indicar fracciones correspondientes. Cada círculo es un entero.

a.

$\frac{3}{4}$

_____ **están** coloreados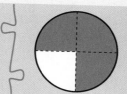

b.

dos sextos

no están coloreados $\frac{}{}$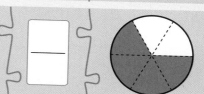

c.

$\frac{2}{3}$

_____ **están** coloreados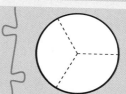

d.

cinco octavos

no están coloreados $\frac{}{}$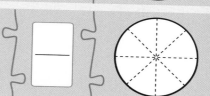

2. Colorea el ◯ junto al razonamiento que podrías utilizar para calcular el producto de la operación básica del nueve. Luego escribe el producto.

a.

$9 \times 6 = \underline{}$

◯ 10×6 luego resta 6
◯ 10×6 luego resta 9
◯ 10×6 luego resta 10

b.

$9 \times 3 = \underline{}$

◯ 10×3 luego resta 9
◯ 10×3 luego resta 10
◯ 10×3 luego resta 3

c.

$9 \times 5 = \underline{}$

◯ 10×9 luego resta 9
◯ 10×5 luego resta 5
◯ 10×5 luego resta 10

Prepárate para el módulo 6 Completa estas ecuaciones.

a. $\underline{} \times 5 = 5$

b. $5 \times \underline{} = 25$

c. $\underline{} \times 7 = 35$

d. $5 \times \underline{} = 20$

e. $\underline{} \times 3 = 15$

f. $5 \times 8 = \underline{}$

g. $\underline{} \times 5 = 30$

h. $5 \times 2 = \underline{}$

DE 3.6.1

Conoce

¿Qué número debería estar escrito en el último espacio de cada fila en esta tabla de cien?

Escribe los números en la tabla de cien.

¿Cómo se llaman estos números?

Si inicias en 0 y cuentas en pasos de 9, ¿qué números dirás? Escribe los números en la tabla de cien.

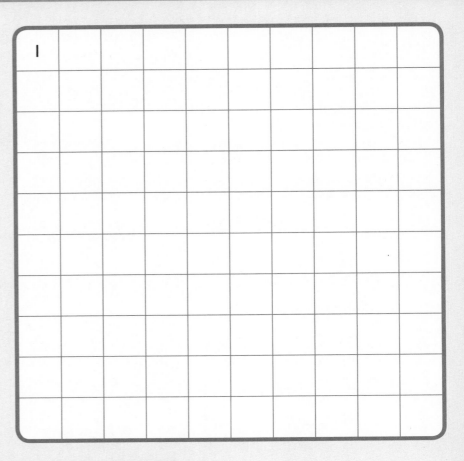

Observa los saltos de 9 a lo largo de esta recta numérica.

Escribe los números en las casillas de abajo.

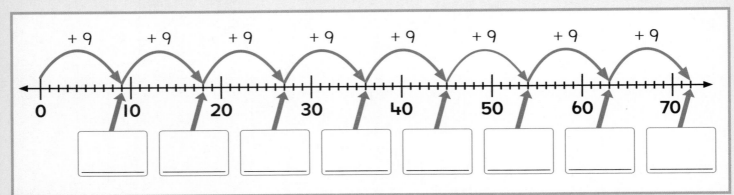

Observa la tabla de cien y la recta numérica.
¿Qué patrón observas?

¿Cómo cambia el dígito de las decenas?
¿Cómo cambia el dígito de las unidades?

Intensifica

Piensa en las operaciones básicas de multiplicación del nueve.

1. Utiliza lo que sabes para completar este patrón.

a. $10 - 1 = 1 \times 9$

b. $\underline{} - \underline{} = \underline{} \times \underline{}$

c. $\underline{} - \underline{} = \underline{} \times \underline{}$

d. $\underline{} - \underline{} = \underline{} \times \underline{}$

e. $\underline{} - \underline{} = \underline{} \times \underline{}$

f. $\underline{} - \underline{} = \underline{} \times \underline{}$

g. $\underline{} - \underline{} = \underline{} \times \underline{}$

h. $\underline{} - \underline{} = \underline{} \times \underline{}$

2. Utiliza el patrón como ayuda para completar estas ecuaciones.

a. $8 \times 9 = \underline{}$

b. $10 \times 9 = \underline{}$

c. $13 \times 9 = \underline{}$

d. $12 \times 9 = \underline{}$

e. $15 \times 9 = \underline{}$

f. $18 \times 9 = \underline{}$

g. $17 \times 9 = \underline{}$

h. $14 \times 9 = \underline{}$

Avanza

Estos son los números que dices cuando inicias en 0 y cuentas en pasos de 9 hasta el 90.

0	9	18	27	36	45	54	63	72	81	90

Si pones estos dígitos uno junto al otro sin cambiar su orden, ellos hacen un número más grande que se lee igual de adelante hacia atrás o de atrás hacia delante. A esto se le llama **palíndromo**.

Encierra los números de abajo que forman un palíndromo.

2 1 2 0 0 2   1 3 5 5 3 1   2 0 7 7 0 2

4 0 0 4 0 4   9 3 0 0 3 9   8 1 8 1 8 1

Conoce

¿Cuál es el costo total de **6** boletos para adultos?

BOLETOS DE TREN

Niños	$4
Adultos	$9

¿Qué operación básica cercana podrías utilizar como ayuda para calcular el costo total?

Bella compra 4 boletos para adultos y un boleto para niños. ¿Cuál es el costo total?

¿Qué ecuación podrías escribir para indicar cómo lo calculaste?

Yo llamaría **t** al costo de los boletos. $t = 4 \times 9$ más 4.

Yara compró 5 boletos para adultos y pagó con un billete de $50. ¿Cómo podrías calcular la cantidad que ella recibió de vuelto?

Intensifica

1. Resuelve cada problema. Indica tu razonamiento.

a. ¿Cuál es el costo total de 7 boletos para adultos?

$_____

ADMISIÓN A LA FERIA DEL CONDADO

Niños	$4 cada uno
Adultos	$9 cada uno
Mayores de 60	$5 cada uno
Pase especial	$12 cada uno

b. ¿Cuál es el costo total de 3 boletos para niños y 1 boleto para mayores de 60?

$_____

c. Si compras 2 pases especiales, ¿cuánto vuelto recibirás si pagas con $30?

$_____

2. Utiliza esta información para responder las preguntas 2 y 3. Indica tu razonamiento.

ATRACCIONES

Zipper	6 boletos
Rocket	8 boletos
Carousel	4 boletos
Skyfly	10 boletos
Mega Drop	5 boletos

a. ¿Cuántos boletos se necesitan para subirse 4 veces al *zipper* y una vez al *skyfly*?

_____ boletos

b. ¿Cuántos boletos se necesitan para subirse 6 veces al *rocket*?

_____ boletos

c. ¿Cuántos boletos se necesitan para subirse 2 veces al *carousel* y 2 veces al *mega drop*?

_____ boletos

3. Juan inició el día con 40 boletos. Él utilizó todos sus boletos en una sola atracción. ¿Cuántas veces se pudo haber subido a cada una de estas atracciones?

a. Rocket	**b.** Carousel	**c.** Skyfly	**d.** Mega Drop
_____ veces	_____ veces	_____ veces	_____ veces

Avanza

Hay 90 boletos en un rollo.

Escribe una ecuación para calcular el número de boletos en 4 rollos.

_____ boletos

Piensa y resuelve Escribe los números que faltan abajo.

$$W + W = 16 \qquad W - Y = 3$$

a. $\boxed{W} + \boxed{Y} = \underline{\qquad}$

b. $\boxed{W} \times \boxed{Y} = \underline{\qquad}$

Palabras en acción   Escribe con palabras cómo resolver este problema.

La abuela de Michelle le dio $40 para gastar en la feria del condado. Michelle se subió 6 veces al *mega drop* y 4 veces a la montaña rusa. Subirse una vez al *mega drop* cuesta $5 y una vez a la montaña rusa $8. Ella además compró almuerzo por $12. Al final del día a ella le sobran $2. ¿Cuánto de su propio dinero llevó ella a la feria?

_____
_____
_____
_____
_____
_____
_____
_____
_____
_____
_____

Práctica continua

1. La distancia entre 0 y 1 es un entero. Escribe la fracción que indica cada salto. Luego escribe la fracción con palabras.

a.

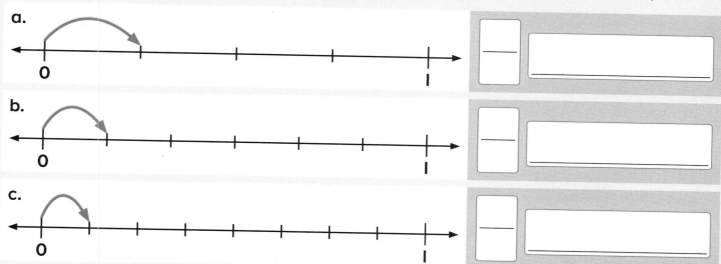

b.

c.

2. Completa las ecuaciones en las casillas de abajo.

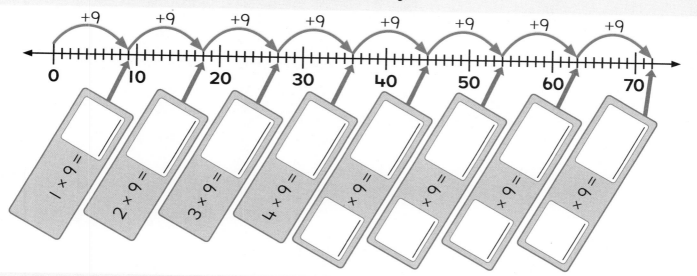

$1 \times 9 =$ ___

$2 \times 9 =$ ___

$3 \times 9 =$ ___

$4 \times 9 =$ ___

$\underline{} \times 9 =$ ___

$\underline{} \times 9 =$ ___

$\underline{} \times 9 =$ ___

$\underline{} \times 9 =$ ___

Prepárate para el módulo 7

Lee cada problema. Luego colorea la etiqueta para indicar tu estimado.

a. Una manguera para jardín mide 20 pies de largo. Otra manguera para jardín es 8 pies más larga. ¿Cerca de cuánto mide la segunda manguera?

10 ft   20 ft   30 ft

b. Nam anduvo en bicicleta por 23 minutos en la mañana y 18 minutos en la tarde. ¿Cerca de cuántos minutos anduvo en bicicleta ese día?

30 min   40 min   50 min

Conoce

Hay 32 tarjetas en este paquete. ¿Cómo repartirías las tarjetas en grupos de igual tamaño?

No se pueden repartir 32 entre 5 o 10 porque hay un 2 en la posición de las unidades.

¿Cómo podrías repartir las tarjetas entre 2?

¿Cómo podrías repartir las tarjetas entre 4?

¿Cómo podrías repartir las tarjetas entre 8?

Corey utilizó la estrategia de dividir a la mitad.

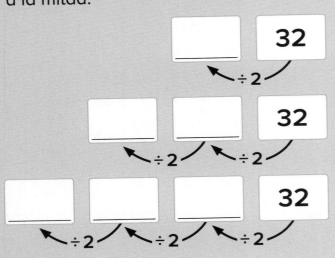

Kayla pensó en las operaciones básicas de multiplicación relacionadas.

$2 \times \underline{} = 32$

$4 \times \underline{} = 32$

$8 \times \underline{} = 32$

¿Cuántas tarjetas hay en cada grupo?

Intensifica

I. Escribe el número de tarjetas en cada repartición. Utiliza cubos como ayuda en tu razonamiento.

a.

$16 \div 2 = \underline{}$

$16 \div 4 = \underline{}$

16 tarjetas

$16 \div 8 = \underline{}$

b.

$40 \div 2 = \underline{}$

$40 \div 4 = \underline{}$

40 tarjetas

$40 \div 8 = \underline{}$

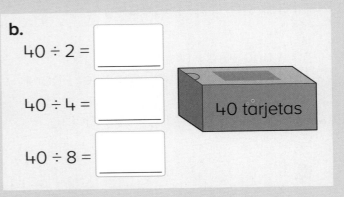

2. Completa la operación básica de multiplicación que utilizarías para calcular la operación básica de división. Luego completa la operación básica de división.

a.

24 puntos en total

_____ × 8 = 24

24 ÷ 8 = _____

b.

16 puntos en total

2 × _____ = 16

16 ÷ 2 = _____

c.

48 puntos en total

6 × _____ = 48

48 ÷ 6 = _____

d.

32 puntos en total

4 × _____ = 32

32 ÷ 4 = _____

e.

80 puntos en total

_____ × 8 = 80

80 ÷ 8 = _____

f.

72 puntos en total

8 × _____ = 72

72 ÷ 8 = _____

g.

56 puntos en total

7 × _____ = 56

56 ÷ 7 = _____

h.

64 puntos en total

_____ × 8 = 64

64 ÷ 8 = _____

3. Escribe la operación básica de multiplicación y la de división que corresponda a cada problema. Utiliza un **?** para indicar la cantidad desconocida.

a. Los autos están estacionados en filas de 8. Hay 56 autos. ¿Cuántas filas hay?

 × = _____   _____ ÷ = _____

b. Hay 32 personas en una cena. En cada mesa hay 4 personas. ¿Cuántas mesas hay?

_____ × = _____   _____ ÷ =

Avanza

Escribe una ecuación para indicar cómo resuelves este problema.

_____

Fatima gana $8 cada semana.
¿Cuántas semanas le tomará ganar $72?

_____ semanas

Conoce

Blake escribió cuatro operaciones básicas que corresponden a este paquete de adhesivos.

ADHESIVOS

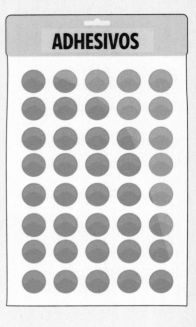

$8 \times 5 = 40$

$40 \div 5 = 8$

$5 \times 8 = 40$

$40 \div 8 = 5$

¿Cómo corresponden las operaciones básicas a la imagen?

¿Cuáles operaciones básicas se utilizan para calcular el número total de adhesivos?

8×5 or 5×8.

¿Cuáles son las dos operaciones básicas de división que se utilizan para calcularlo?

¿Cómo ordenarías 48 adhesivos en filas iguales?

Dibuja una imagen simple para indicar tu razonamiento. Luego escribe dos operaciones básicas de multiplicación y dos operaciones básicas de división relacionadas que correspondan al dibujo.

1. Colorea una matriz que corresponda a los números que se te dan. Luego completa la familia de operaciones básicas correspondiente.

a.

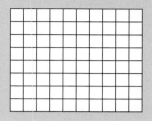

$8 \times 7 =$ _____

_____ $\times$ _____ $=$ _____

_____ $\div$ _____ $=$ _____

_____ $\div$ _____ $=$ _____

b.

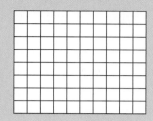

$3 \times 8 =$ _____

_____ $\times$ _____ $=$ _____

_____ $\div$ _____ $=$ _____

_____ $\div$ _____ $=$ _____

c.

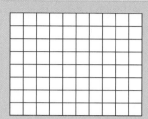

$8 \times 9 =$ _____

_____ $\times$ _____ $=$ _____

_____ $\div$ _____ $=$ _____

_____ $\div$ _____ $=$ _____

2. Completa cada ecuación. Luego utiliza el mismo color para colorear las operaciones numéricas básicas que pertenecen a la misma familia.

$32 \div 4 =$ ☐

☐ $= 56 \div 8$

☐ $= 7 \times 8$

$72 \div 9 =$ ☐

☐ $= 8 \times 7$

$72 \div$ ☐ $= 9$

$32 =$ ☐ $\times 8$

☐ $= 16 \div 2$

$16 \div 8 =$ ☐

☐ $= 2 \times 8$

☐ $= 9 \times 8$

$8 \times 4 =$ ☐

Escribe el número que falta en cada operación básica.

a.

$40 \div 5 =$ ☐

b.

$16 \div$ ☐ $= 2$

c.

☐ $\div 8 = 8$

d.

$80 \div$ ☐ $= 8$

e.

☐ $\div 8 = 4$

f.

$9 =$ ☐ $\div 8$

g.

$48 \div$ ☐ $= 6$

h.

☐ $= 56 \div 8$

Práctica de cálculo   ¿Qué palabra siempre es incorrecta?

★ Completa las ecuaciones. Encuentra cada producto en la cuadrícula de abajo y tacha la letra arriba del producto. Escribe las letras que sobran en las casillas de la parte inferior de la página.

$2 \times 45 = \boxed{}$ $2 \times 71 = \boxed{}$ $2 \times 61 = \boxed{}$

$55 \times 2 = \boxed{}$ $2 \times 44 = \boxed{}$ $34 \times 2 = \boxed{}$

$2 \times 85 = \boxed{}$ $15 \times 2 = \boxed{}$ $2 \times 33 = \boxed{}$

$2 \times 51 = \boxed{}$ $2 \times 12 = \boxed{}$ $2 \times 21 = \boxed{}$

$50 \times 2 = \boxed{}$ $35 \times 2 = \boxed{}$ $95 \times 2 = \boxed{}$

$2 \times 43 = \boxed{}$ $75 \times 2 = \boxed{}$ $2 \times 60 = \boxed{}$

$54 \times 2 = \boxed{}$ $2 \times 63 = \boxed{}$ $64 \times 2 = \boxed{}$

$2 \times 72 = \boxed{}$

✳

I	N	E	R	R	O	R	C	E	N	T
106	84	66	102	90	150	144	104	122	120	24
O	R	F	U	L	L	Y	R	U	S	H
64	76	30	128	142	42	68	124	170	108	70
E	C	C	E	P	T	T	A	L	L	A
60	110	80	100	126	82	88	86	78	190	92

Escribe las letras que sobran en orden desde el ✳ hasta la esquina derecha de abajo.

© ORIGO Education

| **Práctica continua** | **I.** En cada recta numérica la distancia de 0 a I es un entero. Observa cómo se ha partido la recta numérica. Escribe la fracción a la que apunta cada flecha. |

a.

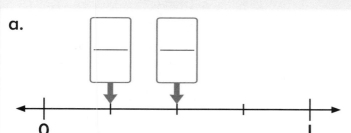

b.

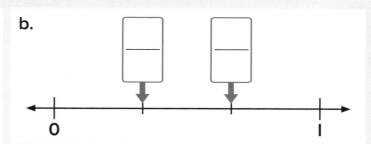

2. Resuelve cada problema. Indica tu razonamiento.

a. Kylie compró 3 libros por $8 cada uno y 2 libros por $7 cada uno. ¿Cuál es el costo total de su compra?

$_____

b. Kevin compró 5 libros por $9 cada uno y 3 libros por $5 cada uno. ¿Cuánto vuelto recibirá de $100?

$_____

Prepárate para el módulo 7   Calcula cada suma.

a.

C	D	U
2	3	5
+ 1	1	6

b.

C	D	U
4	4	9
+ 3	5	2

c.

C	D	U
5	6	0
+ 1	9	7

Conoce ¿Qué ves en esta imagen?

1 manojo de 5 globos.

¿Qué enunciado de multiplicación podrías escribir que corresponda a esta imagen?

Imagina que los globos se reparten entre 5 amigos.
¿Cuántos globos tendrá cada uno?

¿Qué operación básica de división podrías escribir?

5 globos repartidos entre 5 amigos es 1 globo para cada uno, entonces $5 \div 5 = 1$.

¿Qué operaciones básicas de multiplicación podrías escribir que correspondan a esta imagen?

Imagina que todos estos bloques se le dan a una estudiante. ¿Qué operación básica de división podrías escribir para describir la repartición?

Se dan 7 bloques a una estudiante. Ella ahora tiene 7 bloques, entonces $7 \div 1 = 7$.

Intensifica

1. Imagina que estos contadores se reparten en grupos iguales. Completa las operaciones básicas de división correspondientes.

a.

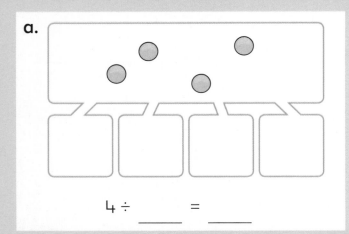

$4 \div \underline{\hspace{1cm}} = \underline{\hspace{1cm}}$

b.

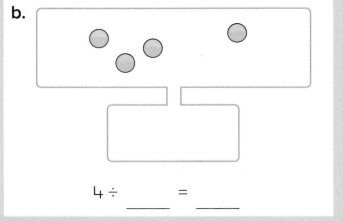

$4 \div \underline{\hspace{1cm}} = \underline{\hspace{1cm}}$

2. Escribe las operaciones básicas de división correspondientes. Puedes dibujar contadores como ayuda.

a.
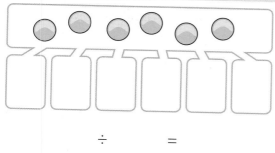

$$\underline{\qquad} \div \underline{\qquad} = \underline{\qquad}$$

b.
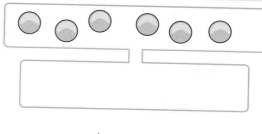

$$\underline{\qquad} \div \underline{\qquad} = \underline{\qquad}$$

c.
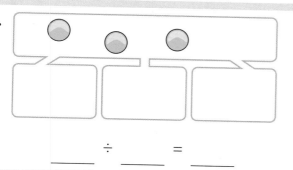

$$\underline{\qquad} \div \underline{\qquad} = \underline{\qquad}$$

d.
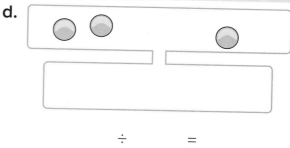

$$\underline{\qquad} \div \underline{\qquad} = \underline{\qquad}$$

3. Completa cada operación básica. Luego escribe cómo calculaste los números que faltan.

a.

$1 \div 1 = \underline{\qquad}$

$2 \div 1 = \underline{\qquad}$

$3 \div 1 = \underline{\qquad}$

$4 \div 1 = \underline{\qquad}$

$8 \div 1 = \underline{\qquad}$

$10 \div 1 = \underline{\qquad}$

b.

$1 \div 1 = \underline{\qquad}$

$2 \div 2 = \underline{\qquad}$

$3 \div 3 = \underline{\qquad}$

$4 \div 4 = \underline{\qquad}$

$7 \div 7 = \underline{\qquad}$

$9 \div 9 = \underline{\qquad}$

Avanza   Utiliza las reglas que escribiste en la pregunta 3 para resolver cada una de estas divisiones.

a.
$37 \div 1 = \underline{\qquad}$

b.
$101 \div 101 = \underline{\qquad}$

c.
$53 \div 53 = \underline{\qquad}$

d.
$132 \div 1 = \underline{\qquad}$

Conoce Para dividir **entre cero**, es más fácil pensar en la operación básica de multiplicación relacionada.

Piensa cómo **dividirías** 0 **entre** un número.

¿Qué pasa cuando divides 0 entre un número?

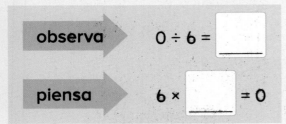

observa $\quad 0 \div 6 = \underline{\hspace{1cm}}$

piensa $\quad 6 \times \underline{\hspace{1cm}} = 0$

La respuesta **tiene que ser 0.**

Piensa cómo **dividirías entre** 0.

¿Qué pasa cuando divides entre 0?

observa $\quad 6 \div 0 = \underline{\hspace{1cm}}$

piensa $\quad 0 \times \underline{\hspace{1cm}} = 6$

Un número multiplicado por 0 es 0, por lo tanto $6 \div 0$ no es **posible**.

¿Qué pasa cuando divides 0 entre 0?

observa $\quad 0 \div 0 = \underline{\hspace{1cm}}$

piensa $\quad 0 \times \underline{\hspace{1cm}} = 0$

$0 \times 9 = 0$ y $0 \times 194 = 0$, entonces 0 multiplicado por cualquier número es 0. Así que la respuesta de $0 \div 0$ **no se puede decidir.**

Intensifica **I.** Escribe números para completar estas operaciones básicas.

a.

observa $\quad 0 \div 7 = \underline{\hspace{1cm}}$

piensa $\quad 7 \times \underline{\hspace{1cm}} = 0$

b.

observa $\quad 0 \div 8 = \underline{\hspace{1cm}}$

piensa $\quad 8 \times \underline{\hspace{1cm}} = 0$

c.

observa $\quad 0 \div 4 = \underline{\hspace{1cm}}$

piensa $\quad 4 \times \underline{\hspace{1cm}} = 0$

2. Para cada división, colorea el ⬭ junto a la mejor descripción del cociente.

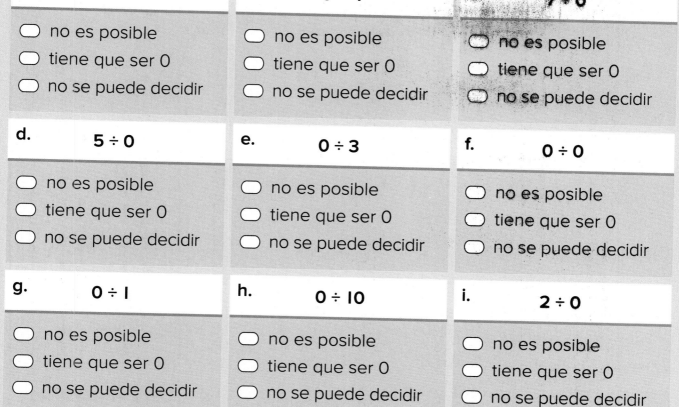

a. 4 ÷ 0

- ⬭ no es posible
- ⬭ tiene que ser 0
- ⬭ no se puede decidir

b. 0 ÷ 9

- ⬭ no es posible
- ⬭ tiene que ser 0
- ⬭ no se puede decidir

c. 7 ÷ 0

- ⬭ no es posible
- ⬭ tiene que ser 0
- ⬭ no se puede decidir

d. 5 ÷ 0

- ⬭ no es posible
- ⬭ tiene que ser 0
- ⬭ no se puede decidir

e. 0 ÷ 3

- ⬭ no es posible
- ⬭ tiene que ser 0
- ⬭ no se puede decidir

f. 0 ÷ 0

- ⬭ no es posible
- ⬭ tiene que ser 0
- ⬭ no se puede decidir

g. 0 ÷ 1

- ⬭ no es posible
- ⬭ tiene que ser 0
- ⬭ no se puede decidir

h. 0 ÷ 10

- ⬭ no es posible
- ⬭ tiene que ser 0
- ⬭ no se puede decidir

i. 2 ÷ 0

- ⬭ no es posible
- ⬭ tiene que ser 0
- ⬭ no se puede decidir

Avanza   Utiliza una calculadora para calcular cada producto.
Luego escribe lo que notas.

| 2 | × | 5 | × | 3 | × | 4 | × | 0 | = | |

| 0 | × | 4 | × | 3 | × | 2 | × | 5 | = | |

| 5 | × | 3 | × | 0 | × | 4 | × | 2 | = | |

Piensa y resuelve Observa este diagrama.

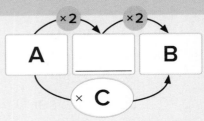

Escribe los números que faltan abajo.

a.
Si A = 5, entonces B =

b.
Si A = 7, entonces B =

c.
Si A = 9, entonces B =

d.
Si A = 12, entonces B =

e.
C =

Palabras en acción

Imagina que tu amiga estuvo ausente de clases cuando aprendiste acerca las operaciones básicas del cero. Escribe cómo le explicarías a tu amiga la razón por la que 7 ÷ 0 no es posible.

1. Cuenta hacia atrás para calcular cada diferencia. Dibuja saltos en la recta numérica para indicar tu razonamiento.

DE 3.5.8

a.

$75 - 28 = \boxed{}$

←————————————————————————————————→

b.

$91 - 25 = \boxed{}$

←————————————————————————————————→

2. Escribe los números que faltan.

DE 3.6.5

a.
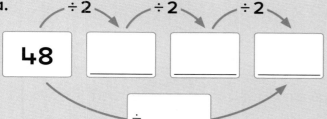

b.
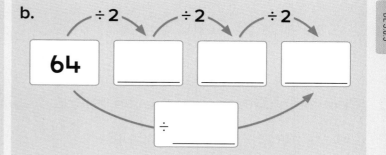

Calcula cada suma. Dibuja saltos en la recta numérica para indicar tu razonamiento.

a.

$38 + 37 = \boxed{}$

←————————————————————————————————→

b.

$45 + 36 = \boxed{}$

←————————————————————————————————→

© ORIGO Education

Conoce ¿Qué notas en esta gráfica?

 = 10 pizzas

Ventas de pizzas

Tipo de pizza									
Queso	🍕	🍕	🍕	🍕	🍕	🍕			
Pepperoni	🍕	🍕	🍕	🍕	🍕				

¿Qué representa ? ¿Qué representa ?

¿Cómo podrías representar la venta de 25 pizzas? Dibuja una imagen.

¿Cuál es la diferencia entre las ventas de pizzas de queso y de pepperoni?

¿Qué ecuación podrías escribir?

¿Cómo podrías calcular los totales de las ventas de pizzas?

Intensifica

I. Esta tabla indica los totales de las ventas de pizzas en 5 días. Completa la gráfica de la parte superior de la página 221 para indicar los resultados.

Día	Venta total
Lunes	75
Martes	40
Miércoles	35
Jueves	50
Viernes	90

Ventas de pizzas

⬤ = 10 pizzas

Día										
Lunes										
Martes										
Miércoles										
Jueves										
Viernes										

2. Observa la gráfica de arriba.

a. ¿Qué día se vendieron más pizzas?

b. ¿Cuántas pizzas se vendieron antes del jueves?

c. ¿Cuántas pizzas más se vendieron el viernes que el miércoles?

d. ¿Cuántas pizzas se vendieron en 5 días?

e. ¿Cuántas pizzas más se vendieron el jueves y el viernes que el lunes y el martes?

Avanza Lee las pistas. Luego escribe los nombres que faltan.

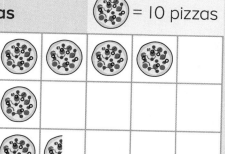

Ventas de pizzas ⬤ = 10 pizzas

Pistas

- Se vendieron menos pizzas de **queso** que de **pepperoni**.

- Se vendió el doble de pizzas **supremas** que de **pepperoni**.

Conoce   ¿Qué te dice esta gráfica de barras?

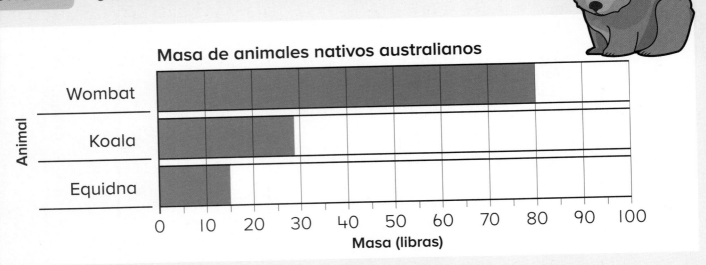

Masa de animales nativos australianos

¿Qué notas en los números escritos a lo largo del eje horizontal?

¿Qué te dicen las marcas entre los números?

¿Cómo podrías calcular la masa de cada animal?

Compara la masa del wombat con la de los otros animales.

¿Cuánto más pesa el wombat?

¿Cuál es la diferencia de masa entre el koala y el equidna?

A los números escritos a lo largo del eje horizontal, o base, se les llama **escala**.

Intensifica   I. Esta tabla indica la masa de algunos animales americanos. Completa la gráfica de barras en la parte superior de la página 223 para indicar los resultados.

Animal	Masa (libras)
Mapache	32
Castor	55
Lobo	89
Coyote	50

Título: _____

Animal

_____

_____

_____

_____

0   10   20   30   40   50   60   70   80   90   100

Masa (libras)

2. **a.** ¿Cuáles dos animales tienen masa similar?

_____

b. ¿Cuáles tres animales tienen una masa total de cerca de 150 libras?

_____

c. ¿Cuál es la diferencia de masa entre el lobo y el mapache?   _____ lb

d. ¿Cuál es la diferencia de masa entre el castor y el lobo?   _____ lb

e. ¿Cuál es la masa total del castor, el lobo y el coyote?   _____ lb

Avanza   Un veterinario tiene una báscula que puede medir hasta 200 libras. ¿Cuál es el mayor número de mapaches que se podrían pesar a la vez? Indica tu razonamiento.

_____

Práctica de cálculo ¿Qué da una vaca cuando está muy flaca?

★ Completa las ecuaciones. Luego encuentra cada total en la cuadrícula de abajo y tacha la letra arriba del total.

124 + 39 = ____	247 + 28 = ____	359 + 38 = ____
19 + 346 = ____	19 + 167 = ____	156 + 28 = ____
238 + 39 = ____	49 + 418 = ____	29 + 249 = ____
38 + 229 = ____	167 + 29 = ____	338 + 29 = ____
145 + 48 = ____	256 + 38 = ____	18 + 158 = ____
28 + 269 = ____	368 + 19 = ____	218 + 29 = ____
347 + 28 = ____	48 + 149 = ____	

Escribe las letras que sobran en orden desde el ✳ hasta la esquina derecha de abajo.

✳	P	F	O	X	I	E	I	T	E	I	R	D
	187	365	294	186	163	278	267	176	198	184	247	196
	A	B	E	A	R	Y	C	N	T	A	N	A
	193	275	387	375	397	367	297	276	467	197	277	366

____	____	____	____

ORIGO Stepping Stones · 3.ᵉʳ grado · 6.10

© ORIGO Education

Práctica continua

I. Calcula la cantidad que queda en cada tarjeta de regalo.
Dibuja saltos en la recta numérica para indicar tu razonamiento.

a.

$185
Tarjeta de ragalo

○ $67 ⟩ $_____

b.

$250
Tarjeta de ragalo

○ $114 ⟩ $_____

---

2. Observa esta gráfica.

= 10 pizzas

Tipo de pizza	Venta de pizzas							
Pepperoni	🍕	🍕	🍕	🍕	🍕	🍕	🍕	
Queso	🍕	🍕	🍕	🍕	🍕			
Vegetales	🍕	🍕	🍕	🍕	🍕	🍕		

a. ¿Cuántas pizzas de queso se vendieron? _____

b. ¿Cuántas pizzas de vegetales más que de queso se vendieron? _____

c. ¿Cuál es la diferencia entre las ventas de pizza de queso y de pepperoni? _____

Prepárate para el módulo 7

Calcula la suma. Dibuja saltos en la recta numérica como ayuda en tu razonamiento.

$187 + 62 =$ _____

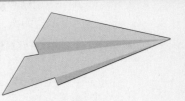

 Conoce

Los estudiantes de la clase 3a investigan la distancia que sus aviones de papel pueden volar. Cada distancia se redondea a la yarda más cercana.

Esta gráfica de puntos indica los resultados.

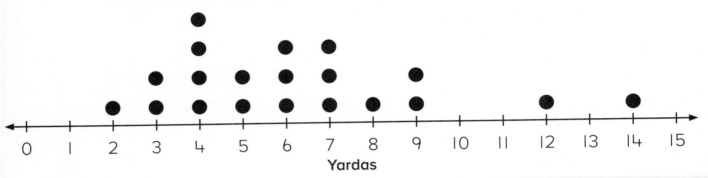

Distancias que volaron nuestros aviones de papel – Clase 3a

¿Qué tan lejos volaron la mayoría de los aviones de papel?

¿Cuántos aviones de papel volaron una distancia de más de 7 yardas?

¿Cuántos aviones de papel volaron una distancia de más de 3 yardas pero de menos de 9 yardas?

> Las gráficas de puntos a veces se les llama diagramas de puntos. Éstos son útiles para indicar la forma de una colección de datos.

¿Qué más puedes compartir acerca de los resultados?

Intensifica

Estos son los resultados de la clase 3b. Utilízalos para completar la gráfica de puntos de la página 227.

Distancias que volaron nuestros aviones de papel – Clase 3b				
2 yardas	7 yardas	5 yardas	5 yardas	11 yardas
6 yardas	8 yardas	13 yardas	6 yardas	4 yardas
3 yardas	6 yardas	11 yardas	8 yardas	7 yardas
6 yardas	5 yardas	4 yardas	7 yardas	6 yardas

1. Dibuja ◯ que correspondan a los resultados de la página 226. Tacha cada longitud en la tabla de la página 226 después de registrarla en la gráfica de puntos.

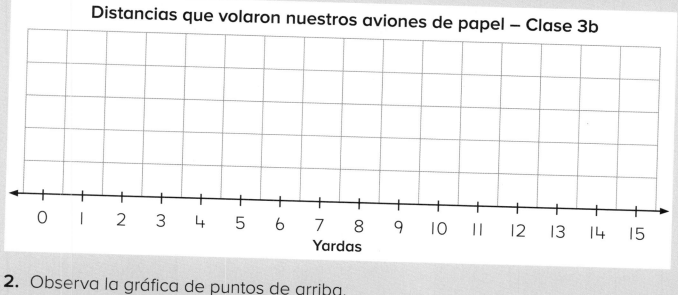

Distancias que volaron nuestros aviones de papel – Clase 3b

Yardas: 0 1 2 3 4 5 6 7 8 9 10 11 12 13 14 15

2. Observa la gráfica de puntos de arriba.

a. ¿Cuántos estudiantes hay en la clase 3b?

b. ¿Cuántos aviones de papel volaron menos de 8 yardas?

c. ¿Cuántos aviones de papel volaron una distancia de más de 4 yardas pero menos de 8 yardas?

d. ¿Cuántos aviones de papel más volaron una distancia de 6 yardas que los que volaron 11 yardas?

e. ¿Qué distancia volaron la mayoría de los aviones de papel? _____ yd

Avanza

La directora quiere dar un premio a la clase que hace mejores aviones de papel. Ella decide cerrar sus ojos y elegir un avión de papel de las clases 3a y 3b. Ella luego lanza cada avión para ver cuál viaja más lejos.

¿Cuál clase crees que ganará? Explica tu razonamiento.

Conoce

Victoria recolectó algunos insectos en el jardín. Ella utilizó una regla de pulgadas para medir la longitud de cada insecto antes de liberarlos. Luego registró las longitudes en esta gráfica de puntos.

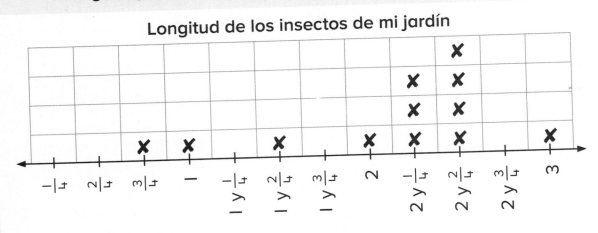

Utiliza tu regla de pulgadas para medir la longitud de este insecto.

¿Mide más cerca de 2 pulgadas o de 2 y $\frac{1}{4}$ pulgadas?

Dibuja una ✗ en la gráfica para indicar la longitud del insecto.

¿Cuál es la longitud del insecto más largo registrado en la gráfica de puntos?

¿Qué longitud se registró el mayor número de veces?

¿Cuántos insectos miden 2 y $\frac{1}{4}$ pulgadas de largo?
¿Cuántos son más cortos que 2 pulgadas?

¿Cuál es el número total de longitudes registradas en la gráfica de puntos?

Intensifica

I. Tu profesor te dará algunos trozos de espaguetis secos. Utiliza tu regla de pulgadas para medir la longitud de 20 trozos. Redondea cada longitud al cuarto de pulgada más cercano. Utiliza marcas de conteo para registrar las longitudes en esta tabla.

$\frac{1}{4}$	$\frac{2}{4}$	$\frac{3}{4}$	1	1 y $\frac{1}{4}$	1 y $\frac{2}{4}$	1 y $\frac{3}{4}$	2	2 y $\frac{1}{4}$	2 y $\frac{2}{4}$	2 y $\frac{3}{4}$	3

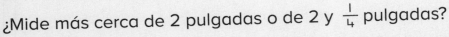

2. Observa la tabla de conteo de la pregunta 1 de la página 228.
Dibuja una ✗ en la gráfica de puntos de abajo para indicar cada longitud.

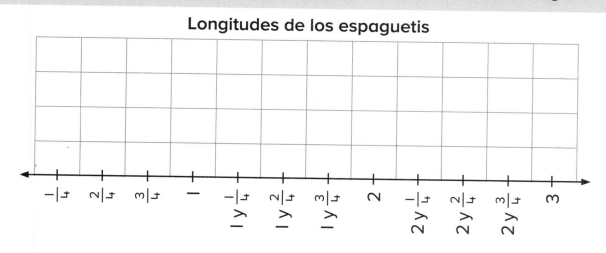

Longitudes de los espaguetis

Número de pulgadas

3. Observa la gráfica de puntos de la pregunta 2.
Completa cada pregunta.

a. ¿Cuál longitud se registró con más frecuencia?

b. ¿Cuántos trozos midieron más de 2 pulgadas?

c. ¿Cuántos trozos midieron menos de 1 y $\frac{3}{4}$ pulgadas?

d. Imagina que cierras tus ojos para elegir un trozo de espagueti. ¿Qué tan largo
piensas que podría ser el trozo de espagueti? Explica tu razonamiento.

Avanza

Compara tus resultados con los de otro grupo. ¿Fueron tus trozos de
espaguetis más cortos o más largos? Escribe tu razonamiento con palabras.

Piensa y resuelve

Imagina que lanzas tres saquitos con frijoles y todos caen en este blanco.

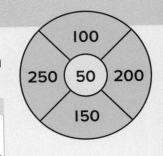

a. Escribe el total mayor y el total menor posible

mayor	menor

b. Escribe una ecuación para indicar una manera en que puedas obtener un **total de 350**.

$$\boxed{} + \boxed{} + \boxed{} = \mathbf{350}$$

c. Escribe ecuaciones para indicar **otras dos maneras** en que puedas obtener un total de 350.

$$\boxed{} + \boxed{} + \boxed{} = \mathbf{350} \qquad \boxed{} + \boxed{} + \boxed{} = \mathbf{350}$$

Palabras en acción

Escribe la respuesta a cada pista en la cuadrícula. Utiliza las palabras en **inglés** de la lista. Sobran algunas palabras.

Pistas horizontales

1. Al ___ horizontal de una gráfica se le puede llamar línea base.

4. Puedes ___ una operación básica del diez para calcular el producto de una del nueve.

6. Las gráficas de puntos indican datos en una ___ o recta numérica.

Pistas verticales

2. A los números escritos a lo largo del eje horizontal de una gráfica se les llama ___.

3. Una imagen en un pictograma puede representar ___ de uno.

5. Una operación básica del nueve es incorrecta si los dígitos del producto no suman ___.

scale *escala*
ten *diez*
line *línea*
more *más*
many *muchos*
(build) down *reducir*
nine *nueve*
axis *eje*

Práctica continua

1. Calcula cada diferencia. Indica tu razonamiento.

a.

315 − 48 = ____

b.

353 − 197 = ____

2. Observa esta gráfica de puntos.

a. ¿Cuáles edades se registraron con más frecuencia?

____

Miembros del club de ciclismo

Edad en años

b. ¿Cuántos miembros eran menores de 7 años? ____

c. Dibuja más ● para indicar estos nuevos miembros.

| Lorena 7 años | Michelle 8 años | Darriel 13 años |

Prepárate para el módulo 7

Escribe la **decena** más cercana a cada número.
Puedes utilizar la recta numérica como ayuda.

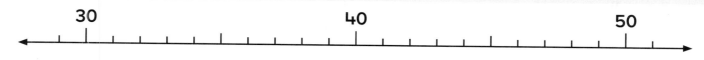

30   40   50

a.
32

____

b.
36

____

c.
39

____

d.
45

____

e.
48

____

ORIGO Stepping Stones • 3.er grado • Módulo 6

GLOSARIO DEL ESTUDIANTE

Algoritmos

Los **algoritmos** son reglas utilizadas para completar tareas o para resolver problemas. Hay algoritmos estándares para calcular respuestas a problemas de suma, resta, multiplicación y división. En este ejemplo se indica el algoritmo de la suma.

	C	D	U
	1	9	2
+		3	6
	1	2	8

Área

El **área** es la cantidad de superficie que cubre una figura. Esta cantidad de superficie se describe usualmente en unidades cuadradas, tales como centímetros cuadrados (cm^2) o pulgadas cuadradas (in^2).

Capacidad

La **capacidad** es la cantidad que algo puede contener.

El **galón** es una unidad tradicional de capacidad.
La manera corta de escribir galón es **gal**.

El **litro** es una unidad métrica de capacidad. La manera corta de escribir litro es **L**.

La **pinta** es una unidad de capacidad. Hay dos pintas en un cuarto.
La manera corta de escribir pinta es **pt**.

El **cuarto (de galón)** es una unidad de capacidad. Hay 4 cuartos en un galón.
La manera corta de escribir cuarto (de galón) es **qt**.

Comparación

Cuando se lee de izquierda a derecha, el símbolo > significa **es mayor que**. El símbolo < significa **es menor que**.

Por ejemplo, 2 < 6 **significa** que 2 es menor que 6.

Cuadrilátero

Un **cuadrilátero** es cualquier polígono (figura 2D cerrada) de 4 lados rectos.
Los cuadriláteros con todos los ángulos del mismo tamaño se llaman **rectángulos**.
Los cuadriláteros con todos los lados del mismo tamaño se llaman **rombos**.

División

Dividir es encontrar el número de grupos iguales o el número en cada grupo igual cuando se conoce el total y el número de grupos iguales o el número en cada grupo igual. Por ejemplo, $8 \div \_\_\_ = 4$ o $8 \div 2 = \_\_\_$. Esto se representa con una ecuación de división que utiliza palabras o el símbolo $\div$.

El resultado de la division se llama **cociente**.

Estrategias de cálculo mental para la división

Dividir a la mitad

Ves $32 \div 4$ *piensa* mitad de 32 es 16, mitad de 16 es 8

Pensar en multiplicación

Ves $30 \div 5$ *piensa* $5 \times 6 = 30$, entonces $30 \div 5 = 6$

Estrategias de cálculo mental para la multiplicación

Son estrategias que puedes utilizar para calcular un problema matemático mentalmente.

Utilizar diez

ves 5×7 *piensa* mitad de 10×7

Duplicar

Ves 2×7 *piensa* doble de 7

Ves 2×14 *piensa* doble de 14

Ves 4×7 *piensa* doble del doble de 7

Ves 4×15 *piensa* doble del doble de 15

Ves 8×7 *piensa* doble del doble del doble de 7

Ves 8×16 *piensa* doble del doble del doble de 16

Duplicar y dividir a la mitad (propiedad asociativa)

Ves 6×35 *piensa* doble de 3×70

Productos parciales (propiedad distributiva)

Ves 3×45 *piensa* $(3 \times 40) + (3 \times 5)$

Utilizar un factor conocido

Ves 6×8 *piensa* $5 \times 8 + 8$

Ves 3×9 *piensa* $3 \times 10 - 3$

Familia de operaciones básicas

Una **familia de operaciones básicas** de multiplicación incluye una operación básica de multiplicación, su operación conmutativa y dos operaciones básicas de división relacionadas. Ejemplo:

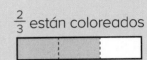

$$4 \times 2 = 8$$
$$2 \times 4 = 8$$
$$8 \div 4 = 2$$
$$8 \div 2 = 4$$

Forma expandida

Es el método de escribir números como la suma de los valores de cada dígito. Ejemplo: $4{,}912 = (4 \times 1{,}000) + (9 \times 100) + (1 \times 10) + (2 \times 1)$

Fracción Común

Las **fracciones comunes** describen partes iguales de un entero. En esta fracción común el 2 es el numerador y el 3 es el denominador.

$\frac{2}{3}$ están coloreados

El **denominador** indica el número de partes iguales (3) en un entero.

El **numerador** indica el número de esas partes (2).

Las **fracciones unitarias** son fracciones comunes que tienen un 1 como denominador.

Las **fracciones propias** son fracciones comunes que tienen un numerador menor que el denominador. Por ejemplo, $\frac{2}{5}$ es una fracción propia.

Las **fracciones impropias** son fracciones comunes que tienen un numerador igual o mayor que el denominador. Por ejemplo, $\frac{7}{5}$ y $\frac{4}{4}$ son fracciones impropias.

Las **fracciones equivalentes** son fracciones que cubren la misma cantidad de área en una figura, o que están ubicadas en el mismo punto en una recta numérica. Por ejemplo, $\frac{1}{2}$ es equivalente a $\frac{2}{4}$.

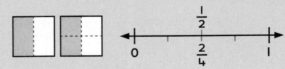

Gráfica de puntos

Una **gráfica de puntos** se utiliza para indicar datos. En esta gráfica de puntos cada punto representa un estudiante.

Número de saltos en 1 minuto de una clase

Longitud

La **longitud** es la medida de qué tan largo es algo.

Un **centímetro** es una unidad métrica de longitud. La manera corta de escribir centímetro es **cm**. Un **metro** es una unidad métrica de longitud. La manera corta de escribir metro es **m**.

GLOSARIO DEL ESTUDIANTE

Masa

La **masa** es la cantidad de peso de algo.

Un **gramo** es una unidad métrica de masa. Hay 1,000 gramos en un kilogramo. La manera corta de escribir gramo es **g**.

Un **kilogramo** es una unidad métrica de masa. La manera corta de escribir kilogramo es **kg**.

Multiplicación

Multiplicar es encontrar el total cuando se conoce el número de grupos iguales o filas y el número en cada grupo o fila. Esto se escribe como una ecuación de multiplicación que utiliza palabras o el símbolo ×.

El resultado de la multiplicación se llama **producto**.

Orden de las operaciones

Si hay **un** tipo de operación en un enunciado, se trabaja de izquierda a derecha.

Si hay **más de un** tipo de operación, trabaja de derecha a izquierda en este orden:

1. Resuelve las operaciones entre paréntesis.

2. Multiplica o divide pares de números.

3. Suma o resta pares de números.

Perímetro

El **perímetro** es la longitud total del contorno de una figura.

Por ejemplo, el perímetro de este rectángulo mide 20 pulgadas.

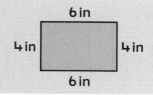

Poliedro

Un **poliedro** es cualquier objeto 3D cerrado con cuatro o más caras planas.

Cuando dos superficies se unen forman una **arista**.

Cuando dos aristas se unen forman un **vértice**.

Un **prisma** es un poliedro con dos caras idénticas unidas por rectángulos cuadrados y rectángulos no cuadrados. Ejemplo:

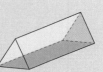

Una **pirámide** es un poliedro que tiene cualquier polígono como base. Todas las otras caras unidas a la base son triángulos que se unen en un punto. Ejemplo:

ÍNDICE DEL PROFESOR

© ORIGO Education

ÍNDICE DEL PROFESOR

© ORIGO Education

ORIGO Stepping Stones · 3.ᵉʳ grado

ÍNDICE DEL PROFESOR

© ORIGO Education